Giuseppe Verdi

La traviata

Opera in tre atti
di Francesco Maria Piave

Prima rappresentazione:
Venezia, Teatro La Fenice, 6 marzo 1853

First performance:
Venice, Teatro La Fenice, 6th March 1853

Uraufführung:
Venedig, Teatro La Fenice, 6. März 1853

Première représentation:
Venise, Teatro La Fenice, le 10 mars 1853

Riduzione per canto e pianoforte
a cura di Mario Parenti (1964)

Vocal score
edited by Mario Parenti (1964)

Klavierauszug
hrsg. von Mario Parenti (1964)

Réduction pour chant et piano
établie par Mario Parenti (1964)

RICORDI

Grafica della copertina • *Cover design*: Giorgio Fioravanti, G&R Associati

Catalogo completo delle edizioni in vendita, consultabile su:
All current editions in print can be found in our online catalogue at:
www.ricordi.it – www.ricordi.com – www.durand-salabert-eschig.com

CP 42314/05
ISMN 979-0-040-42314-3
(edizione in brossura • *paperbound edition*)

CP 42314/04
ISMN 979-0-041-37016-3
(edizione rilegata in tela e oro • *gold stamped cloth binding*)

Riassunto del libretto

Atto I. Festa a casa di Violetta Valery: tra aristocratici gaudenti e compiacenti damigelle c'è un nuovo invitato, Alfredo Germont, introdotto dall'amico Gastone per conoscere la padrona di casa di cui è segretamente innamorato. Messa a conoscenza della passione che Alfredo nutre per lei, Violetta indice un brindisi per distogliere l'attenzione. La festa procede poi con le danze, ma un accesso di tosse frena l'uscita di Violetta, che viene assistita da Alfredo. Questi le fa profferte amorose che la donna ricusa divertita invitando Alfredo a fuggirla in quanto non può che offrirgli amicizia. Terminata la festa, Violetta resta sola e pensa turbata alle parole di Alfredo domandandosi se non sia entrato nella sua vita un vero amore, ma rifiutando questa ipotesi nel nome della sua libera condizione di gaudente indipendenza sociale.

Atto II. Alfredo si gode la serenità dell'amore con Violetta in una casa di campagna. Giunge da Parigi Annina, servetta di Violetta, inviata dalla padrona per alienare i beni restanti e finanziare la nuova esistenza, ormai priva delle elargizioni dei protettori. Venuto a conoscenza di ciò, Alfredo corre a Parigi per cercare una soluzione adeguata. Ignara di tutto rientra Violetta: riceve una lettera di Flora di invito a una festa e considera come ormai sia lontana la vita passata dalla sua condizione attuale. Ma a infrangere questa atmosfera di felicità giunge il padre di Alfredo, Giorgio Germont, che chiede alla donna di interrompere la relazione con suo figlio poiché la loro peccaminosa convivenza reca una tale onta alla sua famiglia da rischiare di compromettere le imminenti nozze della sorella di Alfredo. Violetta cede alle insistenze di Germont: lei stessa troverà il modo di troncare la relazione a patto che, quando sarà morta, all'amato venga rivelata la verità. Mentre sta scrivendo la falsa lettera ad Alfredo, questi la sorprende: Violetta storna l'attenzione e, straziata, gli chiede disperatamente di amarla. Fugge poi alla volta di Parigi, facendo recapitare la lettera da un commissario. Dopo aver letto poche parole dello scritto di Violetta, e aver scorto sul tavolo l'invito di Flora alla festa, Alfredo decide di recarvisi e lì vendicare l'offesa. Infatti, quando vede giungere Violetta insieme al barone Douphol, e dopo che la donna gli ha confermato di amare il barone, Alfredo chiama tutti a raccolta e pubblicamente denuncia la condotta di Violetta, gettandole ai piedi, con gesto di spregio, una borsa di danaro. Violetta sviene: entra inatteso Germont che condanna la condotta del figlio.

Atto III. Violetta, malata di tisi, giace a letto assistita da Annina e dal medico. Giunge una lettera di Giorgio Germont che la informa della partenza di Alfredo dalla Francia e di come, ragguagliato dal padre sulla verità degli eventi, stia ora facendo ritorno per farsi perdonare dall'amata. Le condizioni di Violetta peggiorano fino all'arrivo di Alfredo, col quale è subito rappacificazione. Ma ciò non basta perché Violetta si riprenda: sopraggiunto anche Germont per l'ultimo conforto, ella spira.

Synopsis of the libretto

Act I. A party at Violetta Valery's house: among pleasure-seeking aristocrats and obliging ladies there is a new guest, Alfredo Germont, who has been brought by his friend Gastone to meet the hostess with whom he is secretly in love. When told of the passion Alfredo has for her, she calls for a toast to distract attention. The party then proceeds with dancing, but a fit of coughing prevents Violetta from taking part, and Alfredo helps her. He offers her his love which she, amused, declines to accept, telling him to avoid her as she can only offer him friendship. After the party Violetta is left alone and is disturbed when she thinks of Alfredo's words, asking herself whether a true love has entered her life, but rejecting the idea in the name of her freedom as an independent pleasure-seeker.

Act II. Alfredo is enjoying the serenity of love with Violetta in a house in the country. Annina, Violetta's servant, comes back from Paris, having been sent by her mistress to sell her remaining possessions to finance her new life, now that she receives no gifts from protectors. On finding out about this, Alfredo rushes to Paris to make amends. Violetta comes in, unaware of what has happened: she receives an invitation from Flora to a party and reflects on how distant her past life is from the one she leads now. But this happy atmosphere is shattered by the arrival of Alfredo's father, Giorgio Germont, who asks her to break off her relationship with his son because their sinful cohabitation brings such shame on his family that it risks compromising the imminent marriage of Alfredo's sister. Violetta yields to Germont's insistent please: she will find a way to end the relationship but entreats him, when she is dead, to reveal the truth to her beloved. While she is writing the lying letter to Alfredo, he surprises her: Violetta diverts his attention and, in torment, begs him desperately to love her. She then flees to Paris, instructing a commissioner to deliver the letter. Having read it, and having seen on the table Flora's invitation to the party, Alfredo decides to go there to take revenge for the insult. When he sees Violetta arrive with Baron Douphol, and after she has told him she loves the Baron, Alfredo calls everyone together and publicly denounces her behaviour, contemptuously throwing a purse of money at her feet. Violetta faints; Germont unexpectedly enters and condemns his son's behavior.

Act III. Violetta is in bed suffering from consumption; she is helped by Annina and the doctor. A letter arrives from Giorgio Germont, telling her that Alfredo has gone abroad and that, having been informed by his father of the true course of events, he is now returning to ask his beloved's forgiveness. Violetta's condition worsens until the arrival of Alfredo, with whom she is immediately reconciled. But this is not enough to make Violetta recover: after Germont has also arrived to offer comfort, she dies.

Zusammenfassung des Librettos

Erster Akt. Violetta Valery gibt in ihrem Hause ein Fest: unter schwelgenden Adligen und gefälligen Ede1fräulein befindet sich ein neuer Gast, Alfredo Germont, der von dem Freund Gastone eingeführt wurde, um die Hausherrin kennenzulernen, in die er heimlich verliebt ist. Nachdem sie von dessen Leidenschaft erfährt, spricht Violetta einen Trinkspruch aus, um die Gäste abzulenken. Das Fest geht mit Tänzen weiter, doch ein Hustenanfall hindert Violetta, der Alfredo beisteht, daran teilzunehmen. Dieser macht ihr Liebesangebote, die Frau vergnügt ablehnt, indem sie Alfredo auffordert, sie zu meiden, da sie ihm nur ihre Freundschaft bieten kann. Am Ende des Festes bleibt Violetta allein zurück; sie denkt verstört an die Worte Alfredos und fragt sich, ob nicht eine wahre Liebe in ihr Leben getreten ist; doch verwirft sie diese Erwägung und besinnt sich ihrer freien Existenz der fröhlichen gesellschaftlichen Unabhängigkeit.

Zweiter Akt. Alfredo genießt die unbeschwerte Liebe mit Violetta in einem Landhaus. Annina, die Dienerin von Violetta, trifft aus Paris ein; sie wurde von ihrer Herrin gebeten, die restlichen Güter zu veräußern, um die neue Existenz zu finanzieren, da inzwischen die Gaben deren Beschützer ausbleiben. Nachdem Alfredo davon erfahren hat, reist er nach Paris, um eine geeignete Lösung zu finden. Ohne davon zu wissen, kehrt Violetta zurück: sie erhält eine Einladung von Flora zu einem Fest und überlegt, wie weit ihr vergangenes Leben doch hinter ihr liegt. Das Glück stört aber der Vater von Alfredo, Giorgio Germont, der die Frau auffordert, ihre Beziehung zu seinem Sohn abzubrechen, da ihr sündhaftes Zusammenleben eine solche Schmach über die Familie bringt, daB die bevorstehende Heirat der Schwester Alfredos gefährdet scheint. Violetta gibt dem dringlichen Bitten Germonts nach: sie selbst wird den Weg finden, die Beziehung zu beenden unter der Bedingung, daß dem Geliebten nach ihrem Tod die Wahrheit enthüllt wird. Während sie den falschen Brief an Alfredo schreibt, überrascht dieser sie: Violetta lenkt ihn ab und gequält fleht sie in an, sie zu lieben. Sie flieht dann nach Paris und läßt den Brief durch einen Kommissar zustellen. Nachdem Alfredo wenige Zeilen des Schreibens Violettas gelesen und auf dem Tisch die Einladung von Flora zum Fest vorgefunden hat, beschliesst er, sich dorthin zu begeben, um die Kränkung zu rächen. Als er Violetta zusammen mit dem Baron Douphol eintreffen sieht, und nachdem ihm die Frau bestätigt hat, den Baron zu lieben, versammelt Alfredo die gesamte Gesellschaft und klagt öffentlich das Verhalten Violettas an, indem er ihr verächtlich einen Beutel Geld zu Füßen wirft. Violetta wird ohnmächtig: unerwartet trifft Germont ein, der das Verhalten des Sohns verurteilt.

Dritter Akt. Die schwindsüchtige Violetta liegt zu Bett mit Annina und einem Arzt an ihrer Seite. Es trifft ein Brief von Giorgio Germont ein, der sie von der Abreise Alfredos aus Frankreich informiert, und daß dieser, nachdem er vom Vater die Wahrheit erfahren hat, nun zurückkehrt, um die Geliebte um Vergebung zu bitten. Der Zustand Violettas verschlechtert sich bis zum Eintreffen Alfredos, mit dem sie sich sofort versöhnt. Doch das reicht nicht aus, damit Violetta sich wieder erholt: nachdem auch Germont eingetroffen ist, um ihr Trost zuzusprechen, haucht sie ihr Leben aus.

Résumé du livret

Acte I. À Paris, durant une réception chez Violette Valéry : parmi les aristocrates jouisseurs et les complaisantes demi-mondaines, un nouvel invité, Alfredo Germont, s'est fait introduire par son ami Gaston afin d'être présenté à la maîtresse de maison, dont il est secrètement amoureux. Informée de la passion qu'Alfredo nourrit pour elle, Violetta propose un toast pour détourner l'attention. La soirée se poursuit au milieu des danses, mais un accès de toux freine la sortie de Violetta, à qui Alfredo prête assistance. Celui-ci lui déclare sa flamme, que Violetta, amusée, réfute, lui conseillant de la fuir car elle n'a à lui offrir que de l'amitié. Au terme de la fête, Violetta reste seule et, troublée, se remémore les paroles d'Alfredo ; elle se demande si ce n'est pas un véritable amour qui a pénétré dans sa vie, mais soudain elle repousse cette hypothèse au nom de sa condition de femme libre et vouée à une vie de plaisir.

Acte II. Alfredo jouit sereinement de son amour avec Violetta dans une maison de campagne. Survient Annina, la jeune servante de Violetta, que sa maîtresse a envoyée à Paris pour vendre ses bijoux afin de subvenir à son train de vie, privée qu'elle est à présent des largesses de ses protecteurs. Mis au courant, Alfredo se précipite à Paris dans l'intention de se procurer de l'argent. Violetta rentre, ignorant cette démarche ; elle reçoit une lettre de Flora l'invitant à une fête et mesure la distance qui sépare sa condition actuelle de sa vie passée. Mais l'arrivée inopinée du père d'Alfredo, Giorgio Germont, vient dissiper cette atmosphère de bonheur : il demande à la jeune femme de cesser sa liaison avec son fils, car leur concubinage scandaleux entache l'honneur de sa famille au point qu'il risque de compromettre les noces imminentes de la sœur d'Alfredo. Violetta cède aux instances de Germont : elle trouvera le moyen de briser ce lien, à condition que, lorsqu'elle sera morte, la vérité sera dévoilée à son amant. Tandis qu'elle écrit à Alfredo une lettre de rupture, celui-ci survient : Violetta détourne son attention et, bouleversée, le supplie désespérément de l'aimer. Puis elle s'enfuit à Paris, lui faisant remettre son message par un commissionnaire. Après en avoir lu quelques mots et ayant aperçu sur la table l'invitation de Flora, Alfredo décide de se rendre à la fête et de venger l'offense. Lorsqu' il voit arriver Violetta en compagnie du baron Douphol et après qu'elle lui a dit d'aimer ce dernier, Alfredo rassemble tous les convives et injurie publiquement la jeune femme, jetant à ses pieds, d'un geste méprisant, une bourse pleine d'argent. Violetta perd les sens. A l'impromptu se présente Giorgio Germont, qui condamne le comportement de son fils.

Acte III. Minée par la tuberculose, Violetta est étendue dans son lit, assistée par Annina et par un médecin. Elle reçoit une lettre de Giorgio Germont, lui annonçant qu'Alfredo avait quitté la France mais que, informé par son père de la vérité des faits, il allait maintenant revenir, pour se faire pardonner de sa bien-aimée. Les conditions de Violetta s'aggravent jusqu'à l'arrivée d'Alfredo, avec lequel la réconciliation est immédiate. Mais cela ne suffit pas à guérir Violetta : sous les yeux aussi de Germont, plein de remords, elle expire dans les bras d'Alfredo.

Personaggi

VIOLETTA VALERY
soprano
FLORA BERVOIX
mezzosoprano
ANNINA
soprano
ALFREDO GERMONT
tenore
GIORGIO GERMONT, suo padre
baritono
GASTONE, Visconte di Letorières
tenore
BARONE DOUPHOL
baritono
MARCHESE D'OBIGNY
basso
DOTTOR GRENVIL
basso
GIUSEPPE, servo di Violetta
tenore
DOMESTICO di Flora
basso
COMMISSARIO
basso

Coro di signori e signore amici di Violetta e Flora, mattadori, piccadori, zingare, servi di Violetta e Flora, maschere, ecc.

SCENA: Parigi e sue vicinanze, nel 1850 circa.

Il primo atto succede in agosto,
il secondo in gennaio, il terzo in febbraio.

Indice dei pezzi

LA TRAVIATA

DI

GIUSEPPE VERDI

PRELUDIO

1
con espress.
p
pp
ppp
2
f

con espress.
tr
3
f
pp
allarg.
dim.
morendo

ATTO PRIMO

SALOTTO IN CASA DI VIOLETTA.

Nel fondo è la porta che mette ad altra sala; ve ne sono altre due laterali: a sinistra un caminetto con sopra uno specchio. Nel mezzo è una tavola riccamente imbandita.

INTRODUZIONE

(Violetta seduta sur un divano sta discorrendo col Dottore e con alcuni amici, mentre altri vanno ad incontrare quelli che sopraggiungono, tra' quali il Barone e Flora al braccio del Marchese.)

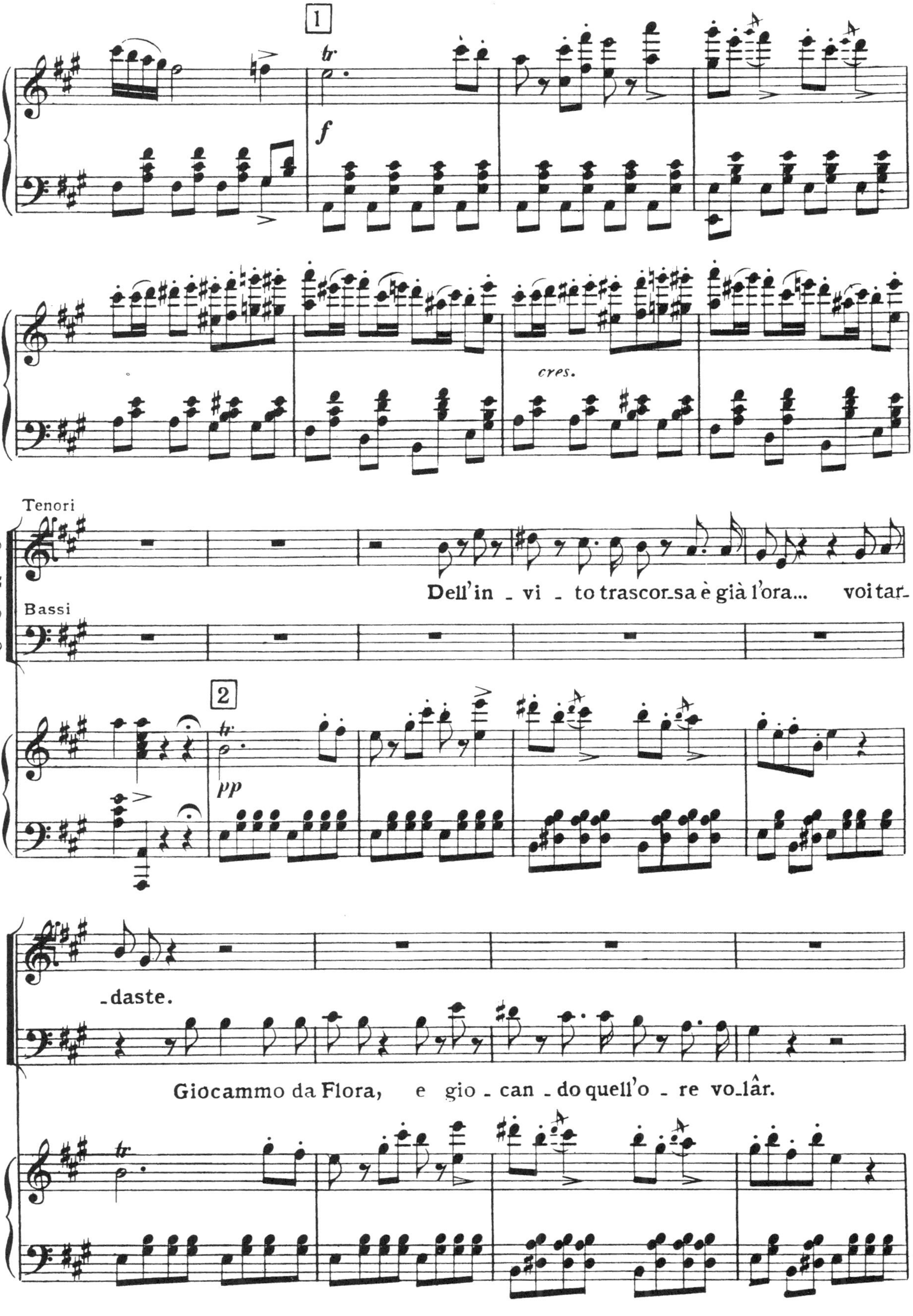
1
cres.
Tenori
CORO
Bassi
Dell'in - vi - to trascor-sa è già l'ora... voi tar-
2
-daste.
Giocammo da Flora, e gio - can - do quell'o - re vo-lâr.

VIOLETTA (va loro incontro)
Flo - ra, a - mi - ci, la not - te che re - sta
tr
V
d'al - - tre gio - - je qui fa - - te............ bril-
tr
V
-lar... Fra le tazze più viva è la fe-sta.... Lo
FLORA
E goder voi po - tre - te?
MARCHESE
E goder voi po - tre - te?
pp

V
vo - glio; al pia - ce - re m'affi - do, ed io so - glio con tal
p
tr
V
farmaco i ma - li so - pir.
FLO.
Sì, la vi - ta s'addop - pia al gio-
BARONE
Sì, la vi - ta s'addop - pia al gio-
DOTTORE
Sì, la vi - ta s'addop - pia al gio-
MAR.
Sì, la vi - ta s'addop - pia al gio-
CORO
Sop.
Sì, la vi - ta s'addop - pia al gio-
Ten.
Sì, la vi - ta s'addop - pia al gio-
Bassi
Sì, la vi - ta s'addop - pia al gio-
3
f

F
-ir, sì, la vi - ta s'addop - pia al gio - ir.
B
-ir, sì, la vi - ta s'addop - pia al gio - ir.
D
-ir, sì, la vi - ta s'addop - pia al gio - ir.
M
-ir, sì, la vi - ta s'addop - pia al gio - ir.
-ir, sì, la vi - ta s'addop - pia al gio - ir.
-ir, sì, la vi - ta s'addop - pia al gio - ir.
-ir, sì, la vi - ta s'addop - pia al gio - ir.
p
GASTONE (entrando con Alfredo)
In Al - fre - do Ger - mont, o si -
pp

G
-gno - -ra, ec - co un al - -tro che mol - -to v'o-
G
-no - -ra; po - chi a - mi - -ci a lui
VIO.
Mio Vi - scon - -te, mer-
G
si - -mi - li so - -no.

(Violetta dà la mano ad Alfredo, che gliela bacia)
(I servi frattanto av·anno imbandite le vivande)
V
-cè.........di tal do-no.
ALF.
(si stringono la mano)
Mar-
MAR.
Ca-ro Al-fre-do!
V
(ai servi)
Pronto è il
A
-che - se...
GAS.
(ad Alfredo)
T'ho det-to: l'a-mi-stà qui s'intreccia al di-let-to.
cres.
(un servo accenna di sì)
V
tutto?.. Miei ca-ri, se-de-te; è al con-vi-to che s'apre ogni
mf

(siedono in modo che Violetta resti tra Alfredo e Gastone; di fronte vi sarà Flora tra il Marchese ed il Barone; gli altri siedono a piacere)

tr
VIO.
È al convi - to che s'a - pre ogni cor.
FLO.
È al convi - to che s'a - pre ogni cor.
ALF.
È al convi - to che s'a - pre ogni cor.
GAS.
È al convi - to che s'a - pre ogni cor.
BAR. DOT. e MARC.
È al convi - to che s'a - pre ogni cor.
CORO
Sop.
È al convi - to che s'a - pre ogni cor.
Ten.
È al convi - to che s'a - pre ogni cor.
B.
È al convi - to che s'a - pre ogni cor.
5
f
p
pp

VIO.
GAS.
(parla piano a Violetta, poi dice)
Scher-
Sempre Alfre_do a voi pen - sa.
V
G
-za - te?
Ces-
Egra fo_ste, e ogni dì con af_fan - no qui vo_lò, di voi chie_se...
(ad Alfredo)
-sa - te.
Nul_la son io per lui...
Vero è dunque?.. onde
Non v'inganno...

(ad Alfredo)
V
ALF. ciò? Nol comprendo.
Le mie gra_zie vi rendo.
(sospirando)
Sì, egli è ver.
(al Barone)
Voi, baro_ne, non fe_ste al_tret_
_tan_to...
Ed ei so_lo da qualche mi_
BAR.
Vi co_no_sco da un an_no sol_tan_to.
FLORA (piano al Barone)
_nu_to.
Me_glio fo_ra se a_

F
-ve - ste ta-ciu-to.
Perchè?..
A me in-
BAR.
(piano a Flora)
M'è increscio-so quel giovin...
p
F
GAS.
-ve - ce simpa - tico e-gli è.
(ad Alfredo)
E tu dunque non a-pri più bocca?
(a Violetta)
MAR.
È a ma-
cres.
VIO.
(mesce ad Alfredo)
Sarò l'E - be che ver-sa...
ALF.
(con galanteria)
E ch'io
M
-da - ma che scuo - ter-lo toc - ca.
tr
cres.

V
Be-
FLO.
Be-via - mo.
Be-
A
bramo immortal come quel - la.
Be-
GAS.
Be-via - mo.
Be-
BAR.
Be-via - mo.
Be-
DOT.
Be-via - mo.
Be-
M
Be-via - mo.
Be-
CORO
Sop.
Be-via - mo, be-
Ten.
Be-via - mo, be-
B.
Be-via - mo, be-
6
tr
f

V
-via - mo, beviam.
F
-via - mo, beviam.
A
-via - mo, beviam.
G
-via - mo, beviam. O Ba-ro-ne, nè un ver-so, nè un vi-va tro-ve-
B
-via - mo, beviam.
D
-via - mo, beviam.
M
-via - mo, beviam.
-via - mo, beviam.
-via - mo, beviam.
-via - mo, beviam.
ff
p
ff

V
F
G
D
M
A
Sì, sì, un brin_disi.
(Il Barone accenna che no)
(ad Alfredo)
ALF.
_rete in quest'ora giu_li_va?.. Dunque a te...
L'estro non m'ar_
pp
ff
p
Sì.
(a Violetta)
(s'alza)
_ri_de...
Vi fia gra_to?
Sì?.. l'ho già in
E non sei tu ma_e_stro?

V
Sì, at_tenti al can_tor
FLO.
Sì, at_tenti al can_tor
A
cor.
G
Sì, at_tenti al can_tor
BAR.
Sì, at_tenti al can_tor
DOT.
Sì, at_tenti al can_tor
MAR.
Dunque attenti... at_tenti al can_tor
Sop.
Sì, at_tenti al can_tor
Ten.
Sì, at_tenti al can_tor
B.
Sì, at_tenti al can_tor
CORO
7
ff

BRINDISI

ALLEGRETTO ♩. = 69
f
p
ppp
f
ppp
ALF.
con grazia
leggerissimo
Li_bia - - mo, li_
pp
A
pp
_biamo ne' lie - ti ca - - li_ci, che la bel_lez_za in fio -
pp

-ra; e la fug-ge-vol, fug-ge - vol o- - -ra s'in-
-ne-brii a vo-lut- -tà. Li-biam ne' dol-ci fre-mi-
legato
(indicando Violetta)
-ti che su-sci-ta l'a- mo- -re, poi-chè quell' oc-chio al
co- -re on-ni-po-ten-te va Li-bia-
-mo, a-more, a-mor fra i ca- -li-ci più cal-di ba-ci a-

VIO.
FLO.
Ah!.................. li - biam, a - - mor fra'........ ca - li - - ci più
ALF.
- vrà.
GAS.
Ah!.................. li - biam, a - - mor fra'........ ca - li - - ci più
BAR.
Ah!.................. li - biam, a - - mor fra'........ ca - li - - ci più
DOT.
Ah!.................. li - biam, a - - mor fra'........ ca - li - - ci più
MAR.
Ah!.................. li - biam, a - - mor fra'........ ca - li - - ci più
CORO
Sop.
Ah!.................. li - biam, a - - mor fra'........ ca - li - - ci più
Ten.
Ah!.................. li - biam, a - - mor fra'........ ca - li - - ci più
Bassi
Ah!.................. li - biam, a - - mor fra'........ ca - li - - ci più
8
f

(s'alza)
V
Tra voi......................tra vo-i sa-
F
cal-di............. ba-ci a - vrà.
A
G
cal-di............ ba-ci a - vrà.
B
cal-di............ ba-ci a - vrà.
D
cal-di............ ba-ci a - vrà.
M
cal-di............ ba-ci a - vrà.
cal-di............ ba-ci a - vrà.
cal-di............ ba-ci a - vrà.
cal-di............ ba-ci a - vrà.
pp
p
V
pp
-prò di-vi - - dere il tem-po mio gio - con - do;
pp

tut - - to è fol - li - a, fol - li - a nel mon - - - do ciò che non
è pia - cer. Go - diam, fu - ga - ce e ra - pi - do è il
gau - dio dell'a - mo - re; è un fior che na - sce e muo -
- re, nè più si può go - der.................... Go - diam.................... c'in -
- vi - ta, c'in - vi - ta un fer - - - vido ac - cen - to.......... lu - sin -
pp
p

VIO.
FLO. -ghier.
Ah!........... go_dia _ _ mo...la tazza,la taz _ za e il can _ _ tico
ALF.
GAS.
Ah!........... go_dia _ _ mo...la tazza,la taz _ za e il can _ _ tico
BAR.
Ah!........... go_dia _ _ mo...la tazza,la taz _ za e il can _ _ tico
DOT.
Ah!........... go_dia _ _ mo...la tazza,la taz _ za e il can _ _ tico
MAR.
Ah!........... go_dia _ _ mo...la tazza,la taz _ za e il can _ _ tico
Sop.
Ah!........... go_dia _ _ mo...la tazza,la taz _ za e il can _ _ tico
Ten.
Ah!........... go_dia _ _ mo...la tazza,la taz _ za e il can _ _ tico
Bassi
Ah!........... go_dia _ _ mo...la tazza,la taz _ za e il can _ _ tico
CORO
9
mf
f

V
F
pp
la not_te abbel_la e il ri - so, in que - sto, in que_sto pa - ra-
A
G
pp
la not_te abbel_la e il ri - so, in que - sto, in que_sto pa - ra-
B
pp
la not_te abbel_la e il ri - so, in que - sto, in que_sto pa - ra-
D
pp
la not_te abbel_la e il ri - so, in que - sto, in que_sto pa - ra-
M
pp
la not_te abbel_la e il ri - so, in que - sto, in que_sto pa - ra...
pp
la not_te abbel_la e il ri - so, in que - sto, in que_sto pa - ra-
pp
la not_te abbel_la e il ri - so, in que - sto, in que_sto pa - ra-
pp
la not_te abbel_la e il ri - so, in que - sto, in que_sto pa - ra-
p
mf

con grazia (ad Alfredo)
V
La vi_ta è
F
_di - - so ne sco_pra il nuo_vo........ dì.
G
_di - - so ne sco_pra il nuo_vo........ dì.
B
_di - - so ne sco_pra il nuo_vo........ dì.
D
_di - - so ne sco_pra il nuo_vo........ dì.
M
_di - - so ne sco_pra il nuo_vo........ dì.
_di - - so ne sco_pra il nuo_vo........ dì.
_di - - so ne sco_pra il nuo_vo........ dì.
_di - - so ne sco_pra il nuo_vo........ dì.
8
f
pp
(ad Alfredo)
V
nel tri - pu - dio...
Nol
(a Violetta)
ALF.
Quan_do non s'a_mi an_co - ra...

V
di - te a chi l'i - gno - ra.
(a Violetta)
A
È il mio de_stin co - sì............
FLO. Ah! go_dia - mo...la tazza, la taz - za e il can - ti_co
Ah sì go_diamo, go_diamo, go_dia_mo...la taz_za e il can_ti_co
GAS. ....Go_dia - mo...la tazza, la taz - za e il can - ti_co
BAR.
DOT.
MAR.
Sop.
Ten.
Bassi
CORO
Ah sì go_diamo, go_diamo, go_dia_mo...la taz_za e il can_ti_co
mf
pp
10

cres. a poco a poco.
V
la not_te ab_bel_la e il ri_ _so; in que_ _ _sto in que_sto
F
la notte ab_bel_la e il ri_so, go_diamo, go_diamo, go_diamo, in que_sto
A
la not_te ab_bel_la e il ri_ _so; in que_ _ _sto in que_sto
G
la notte ab_bel_la e il ri_so, go_diamo, go_diamo, go_diamo, in que_sto
B
la notte ab_bel_la e il ri_so, go_diamo, go_diamo, go_diamo, in que_sto
D
la notte ab_bel_la e il ri_so, go_diamo, go_diamo, go_diamo, in que_sto
M
la notte ab_bel_la e il ri_so, go_diamo, go_diamo, go_diamo, in que_sto
la notte ab_bel_la e il ri_so, go_diamo, go_diamo, go_diamo, in que_sto
la notte ab_bel_la e il ri_so, go_diamo, go_diamo, go_diamo, in que_sto
la notte ab_bel_la e il ri_so, go_diamo, go_diamo, go_diamo, in que_sto
cres. a poco a poco

V
pa - ra - di - - - so ne scopra il nuovo........ dì, ah!.............. ah!........
F
pa - ra - di - so ne scopra, ne scopra il nuo - vo dì, ne sco - pra il
A
pa - ra - di - - - so ne scopra il nuovo........ dì, ah!.............. ah!........
G
pa - ra - di - so ne scopra, ne scopra il nuo - vo dì, ne sco - pra il
B
pa - ra - di - so ne scopra, ne scopra il nuo - vo dì, ne sco - pra il
D
pa - ra - di - so ne scopra, ne scopra il nuo - vo dì, ne sco - pra il
M
pa - ra - di - so ne scopra, ne scopra il nuo - vo dì, ne sco - pra il
pa - ra - di - so ne scopra, ne scopra il nuo - vo dì, ne sco - pra il
pa - ra - di - so ne scopra, ne scopra il nuo - vo dì, ne sco - pra il
pa - ra - di - so ne scopra, ne scopra il nuo - vo dì, ne sco - pra il

V
.... ne sco-pra il dì, ah!............. ah!................. ne sco-pra il dì, ah!.......
F
nuo-vo il nuo-vo dì, ne sco-pra il nuo-vo il nuo-vo dì, sì ne
A
.... ne sco-pra il dì, ah!............. ah!............ ah! ne sco-pra il dì, ah!.......
G
nuo-vo il nuo-vo dì, ne sco-pra il nuo-vo il nuo-vo dì, sì ne
B
nuo-vo il nuo-vo dì, ne sco-pra il nuo-vo il nuo-vo dì, sì ne
D
nuo-vo il nuo-vo dì, ne sco-pra il nuo-vo il nuo-vo dì, sì ne
M
nuo-vo il nuo-vo dì, ne sco-pra il nuo-vo il nuo-vo dì, sì ne
nuo-vo il nuo-vo dì, ne sco-pra il nuo-vo il nuo-vo dì, sì ne
nuo-vo il nuo-vo dì, ne sco-pra il nuo-vo il nuo-vo dì, sì ne
nuo-vo il nuo-vo dì, ne sco-pra il nuo-vo il nuo-vo dì, sì ne

V
sì
F
scopra, ne scopra il nuo-vo dì
A
sì
G
scopra, ne scopra il nuo-vo dì
B
scopra, ne scopra il nuo-vo dì
D
scopra, ne scopra il nuo-vo dì
M
scopra, ne scopra il nuo-vo dì
scopra, ne scopra il nuo-vo dì
scopra, ne scopra il nuo-vo dì
scopra, ne scopra il nuo-vo dì

VALZER E DUETTO

V
F
Oh il gen_til pensier!.. Tutti accet_tia - mo.
A
Oh il gen_til pensier!.. Tutti accet_tia - mo.
G
Oh il gen_til pensier!.. Tutti accet_tia - mo.
B
Oh il gen_til pensier!.. Tutti accet_tia - mo.
D
Oh il gen_til pensier!.. Tutti accet_tia - mo.
M
Oh il gen_til pensier!.. Tutti accet_tia - mo.
Oh il gen_til pensier!.. Tutti accet_tia - mo.
Oh il gen_til pensier!.. Tutti accet_tia - mo.
Oh il gen_til pensier!.. Tutti accet_tia - mo.
p

(s'avviano alla porta di mezzo, ma
Violetta colta da subito pallore dice)
V
U_sciamo dunque...
Ohi_mè!..
F
Che a_ve_te?
A
Che a_ve_te?
G
Che a_ve_te?
B
Che a_ve_te?
D
Che a_ve_te?
M
Che a_ve_te?
Che a_ve_te?
Che a_ve_te?
Che a_ve_te?

V
Nul - la, nul - la.
F
Che mai v'ar - re-sta?
A
Che mai v'ar - re-sta?
G
Che mai v'ar - re-sta?
B
Che mai v'ar - re-sta?
D
Che mai v'ar - re-sta?
M
Che mai v'ar - re-sta?
Che mai v'ar - re-sta?
Che mai v'ar - re-sta?
Che mai v'ar - re-sta?
tr
V
(fa qualche passo)
(è nuovamente obbligata a sedere)
U - sciamo...
Oh Di - o!..

V
Un
FLO.
pp
An_cora!
Oh ciel! ch'è que_sto?
ALF.
Voi sof_frite.
GAS.
pp
An_cora!
Oh ciel! ch'è que_sto?
BAR.
pp
An_cora!
Oh ciel! ch'è que_sto?
DOT.
pp
An_cora!
Oh ciel! ch'è que_sto?
MAR.
pp
An_cora!
Oh ciel! ch'è que_sto?
Sop.
An_cora!
Ten.
An_cora!
Bassi
An_cora!
CORO
p
V
(indica l'altra sala)
tre - mi - to che pro - vo!.. Or... là... pas - sa_te...
tr
tr
tr

V
F
A
G
B
D
M
fra po_co anch'i - - o sa_rò.
Co_me bra_ma_te.
(tutti passano nell'altra sala, meno Alfredo)
f
p

f p
f p
f p
p
tr
(Violetta si alza e va a guardarsi allo specchio)
8
VIO.
Oh qual pal - lor!

(si volge e s'accorge d'Alfredo)
V.
Voi qui!
ALF.
Cessa_ta è
V
Sto me_glio.
A
l'an - sia che vi tur - bò?..
Ah in co_tal gui_sa v'uc - ci - de - re_te... a-
-ver v'è d'uo - po cu_ra del_l'es - ser
f
p
p

VIO.
E lo po_tre_i?
A
vo_stro...
Oh! se mia
fo_ste,
cu - sto - de ve - glie - re - - - -
VIO.
Che di_te?
-i pe' vo_stri so - a - vi dì.
V
Ha for_se al_cu - no cu_ra di me?
(con fuoco)
Per_chè nes_

V
A
Nes - sun?..
- su - - no al mon - - do v'ama...
Glì è ve-ro!.. sì grande amor dimenti-
(ridendo)
Tran-ne sol i - - - o.
- ca - to a - ve - a.
Rì-de-te!.. e in voi v'ha un co-re?
VIO.
Un cor?.. sì... for-se... e a che

ALF.
lo ri_chie_de_te?
Ah se ciò fos_se... non po_tre_ste al_
un po' marcato
Di_te dav_ve_ro?
_lo_ra ce_liar...
Io non v'in_gan_no.
Da mol_to è che mi a_ma_te?
Ah sì, da un an_no. Un
ANDANTINO ♪=96
11
dì fe_li_ce, e_te_re_a mi ba_le_na_ste in_nan_
ANDANTINO ♪=96

A
-te, e da quel dì tre-man - te vis - si d'i-gno - to a-
con espànsione
p
-mor. Di quell'amor, quell'a-mor ch'è pal - pito del - l'u-ni - ver - so, del-
con grazia
-l'u - niverso in-te - ro, misterï - o - so, misterïoso, alte - ro, croce, croce e de-
VIO.
Ah se ciò è ver, fug - gi - temi...
-li-zia, croce e de - li-zia, delizia al cor.
p
p

Brillante
V
solo amista_de io v'of_fro; a_mar.........non so, nè sof_ _fro un co_si eroico a_
_mo_re. Io sono franca, in_ge_nua; altra cercar do_ve_te; non
leggero
ar_ _duo tro_ve_re_ _te di_men_ticarmi al_lor.
ALF.
Oh a_mo_re
p
V
Non ar_duo tro_ve_re_te dimen_ti_carmi al_
A
mi_ste_ri_o_ _so, mi_ste_rï_o_so, al_te_ _ro,

legg.
dolciss.
V
-lo-ra, dimenti-car-mi, dimenti-car-mi al-lor
legg.
A
cro-ce, croce e de-li-zia, croce e de-li-zia, de-lizia al cor,
V
di-men-ti-car-mi al-lor
dim.
A
de-li-zia, de-li-zia al cor,
dim.
V
di-men-ti-car-mi al-lor, dimenti-
A
de-li-zia, de-li-zia al cor, croce e de-

V
carmi, dimenti - car, ah!
A
li - zia, delizia al cor, ah!
ah! dimenticarmi al - lor
ah! croce e delizia al cor!
I.º Tempo 𝅗𝅥. = 80
Si fol - leg - gia - va...
GAS. (sulla porta di mezzo)
I.º Tempo
Ebben? che dia - vol fa - te? Ah! ah! sta
12
G
ben!.. re - state!
(rientra)
VIO. (ad Alfredo)
A

V
-mor dun-que non più... Vi garba il pat-to?
V
A tal giun-
ALF.
(per andarsene)
Io v'ob-be-di-sco... Parto...
8
tr
V
(si toglie un fiore dal seno)
-ge-ste? Pren-de-te-que-sto
p
V
fio-re. Per ri-por-tar-lo.
ALF.
Per-chè?
tr

V
A
(tornando)
Quando?
Quando sa-rà ap - pas - si-to.
Oh
ciel!
Do-ma-ni...
Eb-ben...
do-
-ma-ni.
D'a-
(prende con trasporto il fiore)
Io son, io son fe - li-ce!

V
A
-mar - mi di - te an-co-ra?
Oh quan - to, quan - to
D'a-mar - - - - - mi...
v'amo! oh quan - to v'a-mo, oh quan - - to! Io
D'a-mar - mi di - te an-
son, io son fe - li-ce!

V
A
co-ra?
D'a-
Oh quan-to, quan-to v'amo! oh quan-to
mar-mi...
Par-ti-te?
(per partire)
v'a-mo, oh quan-to!
Ad-di-o.
Ad-
(torna a lei, le bacia la mano)
(lontano)
Parto.
Di più non bramo.
Ad-
di-o.
Ad-di-o.
(più lontano)
di-o.
Ad-di-o.
p
f
ff

13
ALL^o. VIVO
FLO.
(ritornano tutti dalla sala riscaldati dalle danze)
legg. e stacc.
Si ri - de-sta in ciel l'au - ro - - ra, e n'è for - za di par -
GAS.
BAR.
DOT.
MAR.
Sop.
Ten.
Bassi
C O R O

F
-ti - re; mercè a voi, gen-til si - gno-ra, di sì splen-di - do gio-
G
-ti - re; mercè a voi, gen-til si - gno-ra, di sì splen-di - do gio-
B
-ti - re; mercè a voi, gen-til si - gno-ra, di sì splen-di - do gio-
D
-ti - re; mercè a voi, gen-til si - gno-ra, di sì splen-di - do gio-
M
-ti - re; mercè a voi, gen-til si - gno-ra, di sì splen-di - do gio-
-ti - re; mercè a voi, gen-til si - gno-ra, di sì splen-di - do gio-
-ti - re; mercè a voi, gen-til si - gno-ra, di sì splen-di - do gio-
-ti - re; mercè a voi, gen-til si - gno-ra, di sì splen-di - do gio-

pp e staccato
F
-ir. Si ri-desta in ciel l'au - rora,
e n'è forza di par-
pp
G
-ir.
Si ridesta in ciel l'au - rora,
pp
B
-ir.
Si ridesta in ciel l'au - rora,
pp
D
-ir.
Si ridesta in ciel l'au - rora,
pp
M
-ir.
Si ridesta in ciel l'au - rora,
pp e staccato
-ir. Si ri-desta in ciel l'au - rora,
e n'è forza di par-
pp
-ir.
Si ridesta in ciel l'au - rora,
pp
-ir.
Si ridesta in ciel l'au - rora,
sempre stacc.
p cres.......... poi .... a .... po -

cres
F
-tir;
mercè a voi, gentil si - gnora,
G
e n'è forza di par - tir;
mercè a voi, gentil si-
B
e n'è forza di par - tir;
mercè a voi, gentil si-
D
e n'è forza di par - tir;
mercè a voi, gentil si-
M
e n'è forza di par - tir;
mercè a voi, gentil si-
-tir;
mercè a voi, gentil si - gnora,
e n'è forza di par - tir;
mercè a voi, gentil si-
e n'è forza di par - tir;
mercè a voi, gentil si-
co
a

poco
F
di sì splendido gio - ir.
La città di feste è
G
-gnora,
di sì splendido gio - ir.
B
-gnora,
di sì splendido gio - ir.
D
-gnora,
di sì splendido gio - ir.
M
-gnora,
di sì splendido gio - ir.
di sì splendido gio - ir.
La città di feste è
-gnora,
di sì splendido gio - ir.
-gnora,
di sì splendido gio - ir.
poco

a
poco
F
piena,
volge il tempo dei pia - cer;
G
La città di feste è piena,
volge il tempo dei pia-
B
La città di feste è piena,
volge il tempo dei pia-
D
La città di feste è piena,
volge il tempo dei pia-
M
La città di feste è piena,
volge il tempo dei pia-
piena,
volge il tempo dei pia - cer;
La città di feste è piena,
volge il tempo dei pia-
La città di feste è piena,
volge il tempo dei pia-
sino

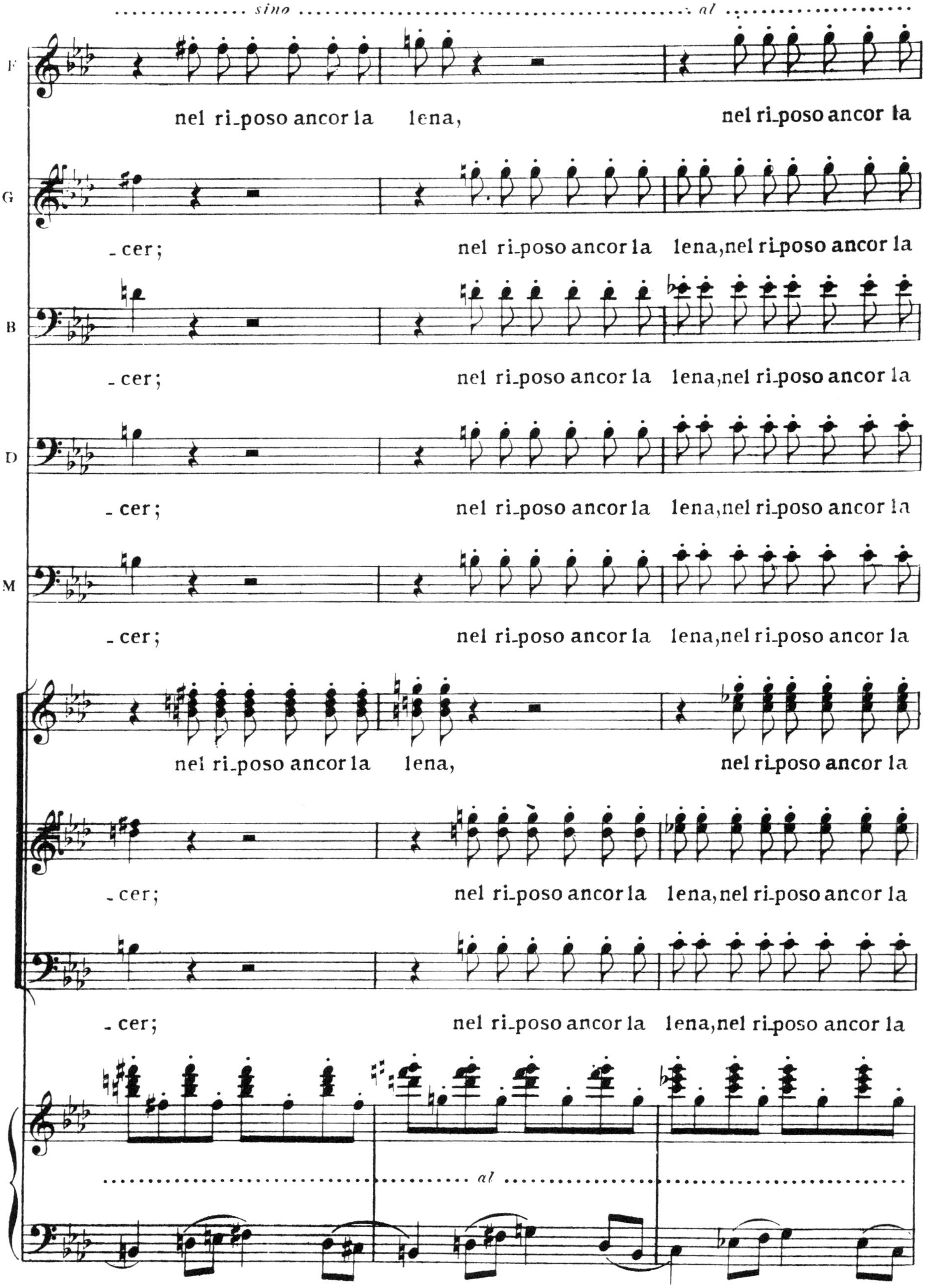
sino
al
F
G
B
D
M
nel ri_poso ancor la lena,
nel ri_poso ancor la
_cer;
nel ri_poso ancor la lena,nel ri_poso ancor la
al

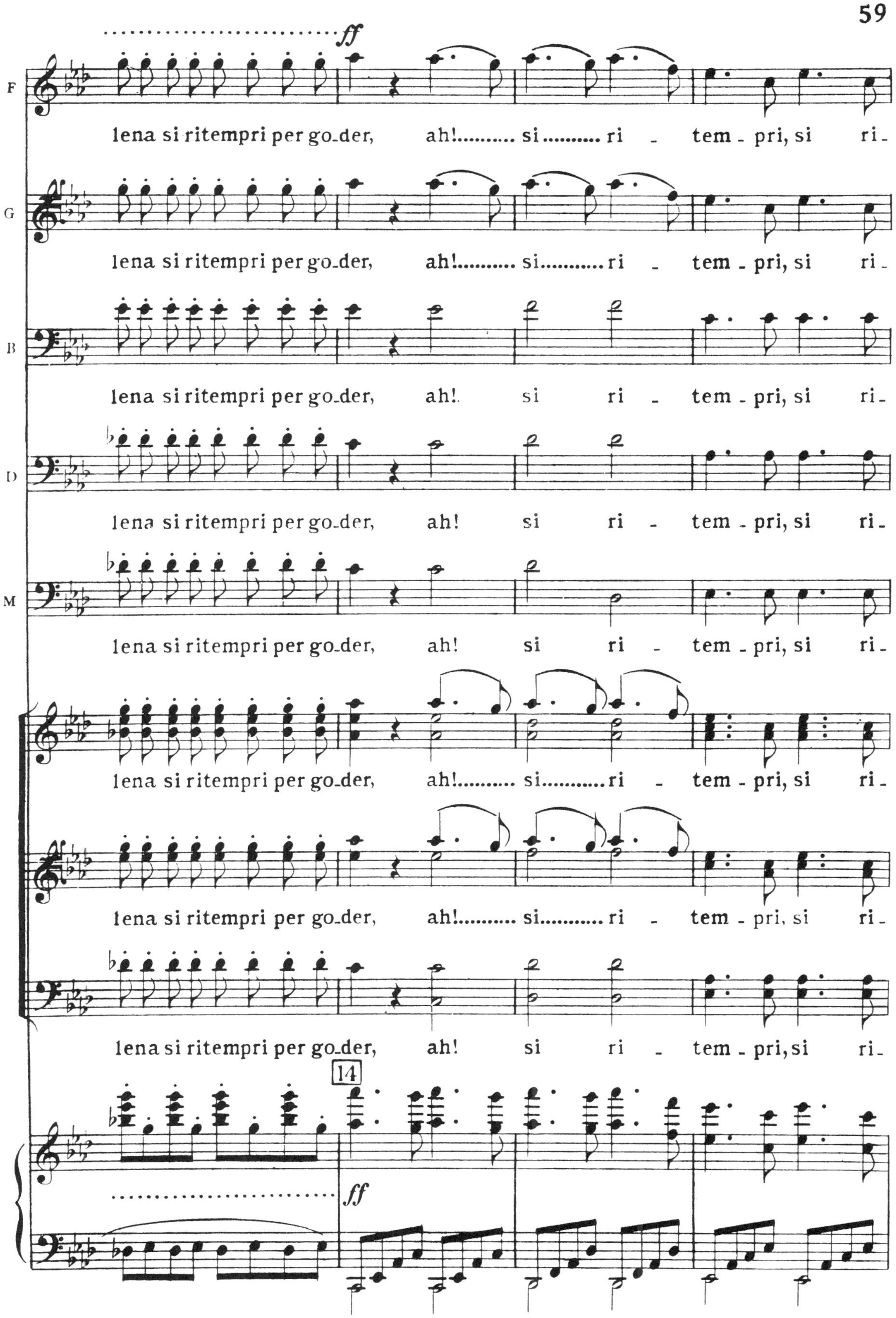
ff
F
lena si ritempri per go_der, ah!......... si......... ri _ tem _ pri, si ri_
G
lena si ritempri per go_der, ah!......... si.......... ri _ tem _ pri, si ri_
B
lena si ritempri per go_der, ah!. si ri _ tem _ pri, si ri_
D
lena si ritempri per go_der, ah! si ri _ tem _ pri, si ri_
M
lena si ritempri per go_der, ah! si ri _ tem _ pri, si ri_
lena si ritempri per go_der, ah!......... si..........ri _ tem _ pri, si ri_
lena si ritempri per go_der, ah!......... si.......... ri _ tem _ pri, si ri_
lena si ritempri per go_der, ah! si ri _ tem _ pri, si ri_
14
ff

F
-tem-pri per go-der, sì nel ri - poso ancor la le-na si ri - tempri, si ri -
G
-tem-pri per go-der, sì nel ri - poso ancor la le-na si ri - tempri, si ri -
B
-tem-pri per go-der, sì nel ri - poso ancor la le-na si ri - tempri, si ri -
D
-tem-pri per go-der, sì nel ri - poso ancor la le-na si ri - tempri, si ri -
M
-tem-pri per go-der, sì nel ri - poso ancor la le-na si ri - tempri, si ri -
-tem-pri per go-der, sì nel ri - poso ancor la le-na si ri - tempri, si ri -
-tem-pri per go-der, sì nel ri - poso ancor la le-na si ri - tempri, si ri -
-tem-pri per go-der, sì nel ri - po-so ancor la le-na si ri - tempri, si ri -

F
-tem-pri, si ri-tem-pri per go-der, sì nel ri - poso ancor la le - na si ri -
G
-tem-pri, si ri-tem-pri per go-der, sì nel ri - poso ancor la le - na si ri -
B
-tem - pri per go - der, sì nel ri - poso ancor la le - na si ri -
D
-tem - pri per go - der, sì nel ri - poso ancor la le - na si ri -
M
-tem - pri per go der, sì nel ri - poso ancor la le - na si ri -
-tem-pri, si ri-tem-pri per go-der,
-tem - pri per go - der, sì nel ri - poso ancor la le - na si ri -
-tem-pri, si ri-tem-pri per go-der,
-tem - pri per go - der, sì nel ri - poso ancor la le - na si ri -
-tem - pri per go - der, sì nel ri - poso ancor la le - na si ri -

F
_tempri, si ri _ tempri, si ri _ tem_pri per go_der, sì nel ri _ poso ancor la
G
_tempri, si ri _ tempri, si ri _ tem_pri per go_der, sì nel ri _ poso ancor la
B
_tempri, si ri _ tem _ pri per go _ der, sì nel ri _ poso ancor la
D
_tempri, si ri _ tem _ pri per go _ der, sì nel ri _ poso ancor la
M
_tempri, si ri _ tem _ pri per go _ der, sì nel ri _ poso ancor la
_tempri, si ri _ tempri per go_der,
_tempri, si ri _ tem _ pri per go _ der, sì nel ri _ poso ancor la
_tempri, si ri _ tempri per go_der,
_tempri, si ri _ tem _ pri per go _ der, sì nel ri _ poso ancor la
_tempri, si ri _ tem _ pri per go _ der, sì nel ri _ poso ancor la

F
le_na si ri_tempri per go_der
si per go_der si nel ri_
G
le_na si ri_tempri per go_der
si per go_der si nel ri_
B
le_na si ri_tempri per go_der
si per go_der si nel ri_
D
le_na si ri_tempri per go_der
si per go_der si nel ri_
M
le_na si ri_tempri per go_der
si per go_der si nel ri_
le_na si ri_tempri per go_der
si per go_der si nel ri_
le_na si ri_tempri per go_der
si per go_der si nel ri_
le_na si ri_tempri per go_der
si per go_der si nel ri_
15

(partono dalla destra)
F
-poso ancor la le-na si ri - tempri per go - der.
G
-poso ancor la le-na si ri - tempri per go - der.
B
-poso ancor la le-na si ri - tempri per go - der.
D
-poso ancor la le-na si ri - tempri per go - der.
M
-poso ancor la le-na si ri - tempri per go - der.
-poso ancor la le-na si ri - tempri per go - der.
-poso ancor la le-na si ri - tempri per go - der.
-poso ancor la le-na si ri - tempri per go - der.
8
tr
8
tr
8

SCENA ED ARIA

VIOLETTA

ANDANTINO ♪=96
16
(pp) leggere
p
dolciss.
Ah for-s'è lui che l'a-ni-
-ma solinga ne'tu-mul-ti, solinga ne'tu-mul-ti go-dea so-
-ven-te pin-ge-re de'suoi colori oc-cul-ti, de'suoi colori occul-ti...
pp
cres.
f
Lui, che modesto e vi-gile all'egre soglie a-sce-se, e nuova febbre ac-ce-se
ppp
con espansione
destandomi all'a-mor!.. A quel-l'amor, quel-l'amor ch'è

pal - pito del - l'u - ni - ver - so, dell'u - niverso in - te - ro,
mi - ste - rï - o - so, mi - sterï - o - so, al - te - ro, cro - ce, croce e de -
f pp leggero
- li - zia, croce e de - li - zia, delizia al cor.
(pp) leggero
p dolciss.
A me, fan - ciul - la, un can - di - do e trepido de - si - re
pp
e trepi - do de - si - re quest'ef - fi - giò dol - cis - si - mo

signor dell'avve - ni - re, signor dell'avve - ni - re, quando ne' cieli il rag-gio
di sua beltà ve - de - a, e tutta me pa - sce - a di quel divino er-ror.
cres.
con espansione
Sen - tia che a-mo - re, che amo - re è pal - pito del - l'u - ni-
-ver - so, dell'u - ni-ver-so in-te - ro, mi - ste-rï - o - so,
mi - sterï-o-so, alte - ro, cro - ce, croce e de-li - zia, croce e de-li - zia, delizia al
legg.

cor! croce e de_lizia, delizia al cor! ah!..de_lizia al cor!
(resta concentrata)
(scuotendosi)
ALL.° ♩=120
17
Folli_e!.. fol_li_e!.. delirio va_no è
questo!.. Po_ve_ra donna,
so_la, abbando_na_ta in questo po_po_lo_so de_
_ser_to che appella_no Pa_ri_gi, che spero or più?.. che far deg_g'i_o?.. Glo_

con forza
V
-i - re!.. di vo-luttà...ne'vor - - - - - - - - - ti-ci, di voluttà pe-
ff
dolce
a piacere
allarg.
-rir!.. gio - - ir!.. gio - - ir!
18
(mf)
ALL° BRILLANTE ♩.=84
tr
assai brillante
Sempre li - bera.... deg-g'i - o fol-leg-
pp
-gia - re di gioja in gio - ja, vo'che scor-ra il vi - ver mi - o pei sen-

V
_tie _ ri del pia_cer. Nasca il giorno, o il giorno muoja, sempre
con effetto questo ripiglio
lie_ta ne' ri_tro - - - vi, ... a di_let _ ti sem_pre
nuo_vi dee vo_la _ re il mio pensier, dee........vo_lar, dee........vo_lar, dee.......vo_
_la - re il mio pensier, dee.......... vo_lar, dee........... vo_lar..............................
tr
f
p

ANDANTINO ♪=96
V
il pen - sier.
(sotto al balcone)
ALFREDO
A - mor, a - mor è
19
(p)
ANDANTINO ♪=96
V
Oh!
oh amore!
A
pal - pito del - l'u - ni - ver - so, dell'u - niver - so in - te - ro, miste - rï - o - so,
V
Fol -
A
pp
f
mi - sterï - o - so, al - te - ro, croce, croce e de - li - zia, croce e de - li - zia, de - lizia al

ALL°
V
-li-e! folli-e! fol-li
A
cor!
ALL°
(f)
ff
dolce a piacere
allarg.
-e!.. gio - ir, gio - ir!
I° Tempo ♩.=84 assai brillante
tr
Sempre li-bera...deg-g'i - o fol-leg-gia-re di gioja in gio-ja, vo'che
20
I° Tempo ♩.=84
pp
scor-ra il vi - ver mi - o pei sen-tie - ri del........pia-cer. Nasca il
3

v
giorno, o il giorno muoja, sempre lie_ta ne'........ri_tro - -
tr
f
con effetto
questo ripiglio
_vi, ... a di_let_ti sem_pre nuo_vi dee vo_la_re il mio pen_
_sier, dee ....vo_lar, dee ....vo_lar, dee ....vo_la - re il mio pen_
_sier, dee..........vo_lar, dee ....vo_lar...
p

V
.... il pen_sier, dee........vo -
(sotto al balcone)
ALF.
A - mor è pal - pito
V
- lar, dee........vo - - lar, ah!...... ah!.........ah!............ah!.....
A
del - l'u - ni - ver - so...
(p)
V
.... dee volar il pen_sier, dee........vo -
A
A - mor è pal - pito

Fine dell' Atto Iº

ATTO SECONDO

CASA DI CAMPAGNA PRESSO PARIGI

Salotto terreno. Nel fondo, in faccia agli spettatori, è un camino, sopra il quale uno specchio ed un orologio, fra due porte chiuse da cristalli che mettono ad un giardino. Al primo piano due altre porte, una di fronte all'altra. - Sedie, tavolini, qualche libro, l'occorrente per iscrivere.

SCENA ED ARIA

ALFREDO

Alfredo entra in costume da caccia.

(depone il fucile)
A
le_i per me non v'ha di_letto!..
Vola_ron già tre
a tempo
lu_ne dacchè la mia Vio_letta a_gi per me la_sciò, dovizie, a_mori e le pompose
p
feste, ov'agli omaggi avvezza, vedea schiavo cia_scun di sua bel_lezza... Ed or con_
ANDANTE
_tenta in questi ameni luoghi tutto scorda per me... Qui presso a lei io rina_scer mi
Adagio
sento, e dal soffio d'amor rigene_ra_to scordo ne'gaudi suo_i tut_to il pas_

ANDANTE ♩=60
A
-sa - - - -to.
1
ANDANTE ♩=60
(p)
p
De' miei bollen-ti spi-ri-ti il gio-va-ni-le ar-
-do-re el-la temprò col pla-ci-do sor-
stent.
ppp
-riso dell'amor, del-l'a-mor!.. Dal dì che disse:
stent.

vi - vere io vo - glio,io voglio a te fe_del,
del - l'u - niver - so imme - mo - re io vi - - vo,io vi - vo
qua - si,io vivo qua_si in ciel. Dal dì che disse: vi - vere io voglio a te fe-
-del, sì, sì, del - l'u - niver - so imme - mo - re io

ff
ppp
morendo
A
vi - - vo,io vi - vo qua - si, io vivo qua - si in ciel, io
dolcissimo
vi - - - vo in ciel, dell'u - - - niverso immemore
dim.
dolcissimo
io vivo quasi in ciel,....ah sì, io vivo quasi in cielo, io vivo quasi in ciel.
ALLEGRO 𝅗𝅥 = 80
2
ALLEGRO 𝅗𝅥 = 80
p

ANNINA (entra affannosa)
AL.
AN.
Da Pa_ri_gi.
Fu la mia si_
Annina, donde vieni?
Chi tel com_mise?
_gnora.
Per a_lie_nar cavalli, cocchi e quanto ancor possie_de...
Perchè?
Che mai
♩=80
Lo spendio è gran_de a viver qui so_linghi.
sento!
E ta_
pp
Mi fu il silenzio im_po_sto.
_ce_vi?..
Im_po_sto?!..

AN
Mil - le lu - i - gi.
AL
or v'ab - bi - so - gna?..
Or
vanne... An - drò a Pa - ri - gi...
questo col - loquio non sappia la si -
- gnora; il tut - to val - go a riparare an - co - - - - - -
- ra; va! va!
(Annina parte)
ff

ALF. ALLEGRO ♩=108
p
Oh mio rimor - so! oh in - fa - mia! io
3 ALLEGRO ♩=108
(p)
A
vis - si in ta - le er - ro - re!.. ma il tur - pe son - no a
A
fran - ge - re il ver mi ba - le - nò!.. Per
A
po - co in se - no ac - que - ta - ti, o gri - do, o gri - do dell' o -

★) Eseguendo l'oppure, la mano destra col canto.

A
-st'on-ta, sì que-st'on-ta la-ve-rò, quest'on - ta, quest'onta la-ve-
A
-rò.
4
ALF.
Oh mio ri-mor-so! oh in-fa-mia! io.........

A
vis_si in ta_le er_ro_re!.. ma il tur_pe son_no a
fran_ge_re il ver mi ba_le_nò!.. Per
po_co in se_no ac_que_ta_ti, o gri_do, o gri_do dell'o_
_no_re;.................. m'a_vrai se_cu_ro vin_di_ce; que_

A
-st'on - ta la - - ve - rò. Oh mio ros - sor! oh infa - -
Oppure
sì que - st'on - ta la - - ve - rò, sì la - - ve -
A
-mia! ah sì que - st'on - ta la - - ve - rò, sì la - - ve -
A
-rò. Oh mio ros - sor! oh infa - - mia! ah sì que -
A
-st'onta, sì quest' on - ta la - ve - rò, quest'on - ta, quest onta la - ve -
ff

A
-rò, ah l'on - - ta, l'on - ta la - ve - -
ff
A
-rò, sì la - ve-rò, ah l'on - ta, l'on - ta la - ve -
A
-rò, sì la - - ve-rò, la-ve-rò, la-ve-rò, la - - - -
(esce)
A
- - - - - - - ve - rò.

SCENA E DUETTO

VIOLETTA E GERMONT

(getta il foglio sul tavolino e siede)
V
-zar per que-sta se-ra!.. Invan m'aspette-rà...
Sarà lui che at-
GIU.
È qui un si-gnore.
(p)
ALLEGRO
(accenna a Giuseppe d'introdurlo)
-tendo.
GERMONT
Recit.
Madamigella Vale-ry?..
Son i-o.
ALLEGRO
5
(mf)
Recit.
(sorpresa, l'invita a sedersi)
Voi?..
con forza
(sedendo)
G
D'Alfredo il padre in me ve-dete. Sì, dell'incauto, che a ru-i-na corre, ammalia-to da
(risentita, alzandosi)
Donna son io, si-gnore, ed in mia casa; ch'io vi lasci assen-tite, più per voi, che per
voi.

(per uscire)
(torna a sedere)
V
me. Tratto in error voi fo-ste...
G
(Quai modi!) Pu-re... De'suoi be-ni e-gli do-no vuol
(p)
(gli dà una carta)
V
Non l'osò fi-no-ra... Rifiute-rei... A tutti è mistero que-
(guardando intorno)
G
farvi... Pur tanto lusso...
p
MODERATO
V
-st'atto... A voi nol si-a...
(Germont scorre le carte)
G
MODERATO
(p)
GER.
Ciel! che di-scopro! D'ogni vostro a-vere or vole-te spo-gliarvi? Ah il pas-

VIO.
(con entusiasmo)
Più non e - si_ste...Or amo Al_fre_do, e Dio lo cancel_
G
-sa_to perchè, perchè v'accu_sai..
p
ALL°.
a tempo
allarg.
-lò ....col pentimento mi - o!
V
G
No_bi_li sen_si in_
ALL°.
f a tempo
pp colla parte
V
Oh come dolce mi suona il vostro accento! (alzandosi)
G
-ve_ro!
Ed a tai sen_si un sacrifi_zio
ALL°.
(alzandosi)
presto
V
Ah no... ta - cete... Terri_bil co - sa chiedereste certo... il pre_
G
chieggo.
p

V
G
-vi-di... v'attesi... e-ra feli-ce troppo...
D'Alfre-do il padre la sor-te, l'avve-
(p)
-nir domanda or qui de'suoi due fi-gli!..
Di due fi-gli!
Sì.
ALL°. MOD.to ♩=84
dolciss. Cantabile
Pu-ra siccome un an-gelo Id-dio mi diè una fi-glia;
6
p
pp
se Al-fredo ne-ga rie-dere in se-no alla fa-mi-glia,

legg.
legg.
G
l'a_mato e amante gio - vine, cui sposa andar do _ ve - - a,
dim.
or si ri_cu_sa al vin _ colo che lie _ ti, lieti ne ren_de - va.
p
Deh non mutate in tri - boli le ro_se dell' a _ mor, ah non mutate in
ff
stent.
pp
stent.
tri _ boli le rose dell'a_mor... a' prieghi miei re _ sistere no, no, non voglia il vostro cor, no,
col canto

VIO.
animando a poco a poco
Ah! com_pren_do...do_vrò per alcun
G
no.
pp animando a poco a poco
pp
pp
V
tempo da Alfredo allon_ta_nar_mi... do_lo_roso fo_ra per
pp
accel........... a .... poco .... a .... poco ....
V
me... pur... Cielo! che più cer_ca_te?.. of_fersi as_
GER.
Non è ciò che chiedo...
pp accel.............. a .... poco .... a .... poco ....

V
G
-sa - i!..
Vo-le-te che per sempre a lui rinunzi?
Pur non ba-sta.
È
d'uo - po.
tutta forza
Ah no! giammai!........................... no, mai!
pausa lunga
7
ff
pausa lunga
VIVACISSIMO ♩. = 108
(p)
agitato
Non sa - pe-te quale af-fet-to vivo, immenso..... m'arda in petto? che nè a-
ppp
ff
-mi - ci, nè pa - ren-ti io non con-to........ tra'vi - ven-ti? e che Al-
a piacere
col canto

dim.
1º Tempo
-fre - do m'ha giu-ra - to che in lui tut - to tro - ve - rò?..
Non sa-
-pe-te che col-pi-ta d'atro morbo è...... la mia vi-ta?.. che già
presso il fin ne ve-do?.. Ch'io mi se-pari da Al-fredo!........ Ah il sup-
Ancor più Vivo
-pli-zio è sì spie-ta - to, il sup-pli-zio è sì spie-ta - to, che.......... a mo-
p
f
ppp

V
-rir........ a mo-rir pre-fe - ri - rò, sì.................. mo -
-rir........... pre-fe - ri - -rò .... ah!...................
ff
ff
....mo - rir prefe - ri - rò,
ff
8
GERM.
a piacere
ah!...................................... prefe - ri-rò mo-rir. È
ff

G
grave il sa-gri - fizio; ma pur, tran-quilla u - di-temi.
pausa lunga
(p) colla parte
pausa lunga
VIO.
Andante piuttosto mosso ♪ = 96
Ah più non di - te... v'intendo... m'è impos-
parlante
G
Bella voi siete e gio-vine... col tempo...
Andante piuttosto mosso ♪ = 96
V
-si - bile... lui solo a-mar vo-gl'i - o...
GER.
Sia
ppp
G
pp
pu - re... ma vo-lu - - bi-le so-

VIO.
(colpita)
Gran Di - o!
con semplicità
G
-ven - te è l'uom... Un dì, quan-do le
f
pp
ve-ne-ri il tempo avrà fu - ga - te, fia presto il te-dio a
p
sor-ge-re... Che sa-rà allor?.. Pensa - te...Per voi non a-vran
bal-samo i più so-a-vi af-fet - ti, poi - chè dal ciel non

VIO.
È vero! è vero!
G
dim.
fu - ro_no......tai no - di benedet - ti... Ah dun_que, dunque
p
V
È vero! è ver!
ppp
sper_da_si tal so_gnose - dut - to - re... sia_te di mia fa -
ppp
ppp
dolciss.
- mi - glia............... l'an - gel con - - sola - tore... Violetta, deh pen -
ppp

cres.
G
-sa-teci,ne siete in tempo ancor... È Dio che ispira,o giovine, è Dio che ispira,o
VIO.
(da sè)
(con estremo dolore)
(Co - - - sì al-la
G
gio-vi-ne, è Dio che i-spi-ra tai detti a un ge-ni - tor.
pp
V
mi - - - se-ra,ch'è un dì ca-du - - ta,

V
di più ri-sor - - - ge-re spe - - - ran-za è
V
mu - - ta!.. Se pur be-ne - - - fi-co
GER.
Sia-te di mia fa - mi - glia
V
le in - - - dulga Id-di - o, l'uomo implaca - bil per lei sa-
G
l'angiol conso - la - tor, ah sia - te

a piacere con forza
V
-rà,sì per lei sa-rà,l'uomo impla-ca-bile........ per lei sa-rà,
G
l'angiol conso-la-tor,
siate, sia-te
f
col canto
p
(piangendo)
V
l'uomo impla-ca-bil
per lei sa-rà.) Ah!
G
l'angiol con-so-la-tor,sia-te, sia-te l'angiol con-so-la-tor.
dim.
ANDANTINO
Cantabile
V
(p)
9
Di-te al-la gio-vine sì bel-la e pu-ra, ch'av-vi u-na
ANDANTINO
(p)

V
vit_tima del _ la sven_tu _ ra, cui re_staunu _ nico, un
u_ni_co raggio di be _ ne... che a leiil sa_cri_fi_ca e che mor_
_rà e morrà e mor_rà.
GER.
Piangi, piangi, pian_gi, o mi_se _ ra,piangi, piangi,
pp
p
G
pian_gi. Su_premo,il veg _ go,supremo,il veg _ go,è il sa _ gri_fi _ zio,è il sa_gri_

G
ppp
cres. - - - ff
-fi - zio ch'ora ti chieg_go... sento nel_l'a_nima già le tue pe_ne...Coraggio, e il
cres.
VIO.
p
Di - te al - la gio - vine
G
dim. allarg.
nobil tuo cor vince_rà, ed il cor vince_rà!
Ah su_pre_mo, il
p
V
sì bel_la e pu - ra, ch'av - vi u - na vit - tima
G
veggo, sì su_pre_mo, il veggo, è il sa_gri-

V
del - la sven - tu - ra, cui re - sta un u - nico, un-
G
-fizio che o - ra ti chieg - go... sen - to nel-
V
u - ni - co raggio di be - ne... che a lei il sa - gri - fi - ca e che mor-
G
-l'a - nima già le tue pe - ne... Coraggio, e il
V
-rà e morrà e mor - rà, a lei........ il sa-
G
nobi - le cor vince - rà! piangi, piangi, piangi, o mi - se - ra! corag - gio, e il
dim.

un fil di voce
V
G
ppp
f
p
_gri _ fi_ca e mor_rà, a lei il sa_
no_bi_le cor vince_rà! piangi, piangi, piangi, o mi _ se _ ra! corag _ gio, e il
_gri _ fi_ca e mor _ rà e che mor _ rà e che mor_
no_bi_le cor vin_ce _ rà! co_rag _ _ gio, e il no_bil
_rà e morrà........ e che morrà, che mor_rà.
cor vin_ce_rà, ah sì, il no_bil cor vin_ce _ rà.

SOST.to
V
G
Impo_ne_te.
Nol crede_rà.
Non amarlo ditegli.
Par_
SOST.to
(pp)
Segui_rammi.
Qual fi_glia, qual
_ti_te...
Al_lor...
ALL.o ♩=138
(s'abbracciano)
figlia m'abbraccia_te... for_te co_sì sa_rò.
Tra bre_ve ei vi fia
10
ALL.o ♩=138
(p)
re_so, ma af_flit_to oltre o_gni di_re... A suo con_

(indicandogli il giardino) (Violetta va per iscrivere)
V
-forto dicola vo-le - rete.
GER.
Che pen-
V
Sa-pendol, v'oppor - re-ste al pen - sier mi-o...
G
-sa - te?
GER.
Ge - ne-ro - - - sa!.. e per voi che far pos-
11
G
-s'i - o?.. che far pos-s'i - o?.. o gene-ro - - - - -
cres.
ff

VIO.
(tornando a lui)
Mor-
G
- - - - - - - - - - - - - - sa!
ALL.o MOD.to ♩=108
rò!.. mor-rò!.. la mia me-mo-ri-a non fi - a ch'ei male-di-ca, se
ALL.o MOD.to
V
le mie pene or-ri - bili vi sia chi almen gli di - ca.
morendo
GER.
No, ge-nero - sa,
vi - vere e lie - ta voi do-vre - te... Mer-cè di queste la - grime dal

VIO.
animando con molta passione
dim.
Co_no_sca il sa_gri_fi_zio chi io consumai d'a_
cie_lo un giorno a_vre_te.
animando
ten.
_mo_re... che sa_rà suo fin l'ul_ti_mo so_spi_ro del mio cor.
pp
Premiato il sagri_
con passione
Co_
cres.
f
_fi_zio sarà del vostro a_more, d'un'opra così nobile sarete fiera al_lor, sì, sì, sì,
(p)

V
G
-no - sca il sa - gri - fi - zio ch'io con - su - mai d'a - mo - re...
sempre più animando
sarete fiera,
fiera allor,
che sa - rà suo fin l'ul - timo so - spi - ro del mio cor, che
d'un'o - pra co - sì no - bi - le sa - re - te fie - ra al - lor: premiato il sagri -
sa - - - rà su - o fin l'ul - timo..... so - spir e
- fi - zio, premiato il sagri - fi - zio sarà del vostro cor, ah sì, d'un'opra così
pp

V
G
sa - - - rà su - o fin l'ul - timo.... so-spi - ro, so - - spi - ro del.......... cor .... del mio cor e sa - rà suo fin l'ul - ti - mo so-spiro del mio cor.
no - bil, d'un'opra co-sì no - bil sa-re - te fie - ra al - lor, d'u - n'o - pra co - sì no - bi - le, d'un'o - pra co - sì no - bi - le sa-re-te fie - ra al - lor.
cres.
ff
f
pp

V
G
12
Qui giunge alcun: par_ti_te.
Oh grato v'è il cor
p
f
p
mi_o!
Par_ti _ te.
f
ff
ADAGIO a piacere
p
(s'abbracciano)
dolce
(si allontanano verso la porta)
Non ci vedrem più forse... Sia_te fe_li_ce... Ad_di_o.
Sia_te fe_li_ce... Ad_
ADAGIO
col canto
(p)

pausa lunga (piangendo)
V
Co-no-sca il sa-gri-fi - zio che consumai d'a-mo - re...
(Germont è sulla porta)
G
-dio!
Sì.
Sì.
col canto
(piangendo)
(il pianto le tronca la parola)
V
che sa-rà suo fin l'ul - ti-mo... Ad-di-o!
fe - li - ce sia-te... ad-
G
Addio! fe - li - ce sia-te... ad-
V
-di - - o!
(esce per la porta del giardino)
G
-di - - o!
ff

SCENA

VIOLETTA

ADAGIO
V
Che gli dirò?..
Chi men darà il coraggio?..
ADAGIO
pp
(scrive, poi suggella)
ALLEGRO (nascondendo la lettera)
(confusa)
Nul - la.
Sì...
no...
ALFREDO
(entra Alfredo)
Che fai?..
Scri - ve - vi?
Qualtur - ba -
ALLEGRO ♩= 120
ppp
A
- men - to!..
a chi
scri - ve - - vi?..

V
A
te.
No, per o - ra.
Dam - mi quel fo - glio.
Mi per-
- do - na... son io preoc - cu - pa - - - to.
VIO. (alzandosi)
Che
fu?
Lo ve - desti?..
Giun - se mio pa - dre...
Ah no: severo scrit - to mi la-
- sciava! però l'at - ten - do... t'a - me - rà in ve - der - ti...
ff
ALL^o. ASSAI MOSSO 𝅗𝅥 = 112
(agitata)
Ch'ei qui non mi sor-
(p)
ALL^o. ASSAI MOSSO 𝅗𝅥 = 112

a tempo
-prenda... lascia che m'allon-tani... tu lo calma... Ai piedi suoi........... mi gette-
a tempo
(male frenando il pianto)
-rò........... di-visi ei più........... non ne vor-rà... sarem fe-li - ci...sarem fe-
-li - ci...perchè tu m'ami, tu m'ami, Al-fre - do, tu m'a-mi, non è
ALF.
ve - ro? tu m'a - mi?.. Al - fredo, tu m'ami, Al-fredo, non è vero? Oh
quan - - - to! Per - - chè pian - gi?..
f>p

VIO.
Di la - - gri - me a_ve - a d'uo_po...
pp
or son tran_quil - la... lo ve - di?.. ti sor_
cres.
(sforzandosi)
_ri - do... lo ve - di?.. or son tran_quil - la... ti sor_ri - do...
(p)
Sa - rò là, tra quei fior,
presso a te sem_pre, sem - pre, sem - pre pres_so a te..............................

(con passione e forza)
V
A - - - - - ma - mi, Alfre - - do, a - ma - mi quan - t'io
ff
p
ff
t'a - - mo... a - - ma - mi, Alfre - - do, quan - t'io
13
ff
p
dim.
(corre in giardino)
t'a - mo, quan - t'io t'a - - mo... Ad - di - - o!..
dim.
p
ff

SCENA ED ARIA

GERMONT

ALF.
Il so... ti calma.
Va forse d'ogni a_ve_re ad affrettar la
G
(parte)
_riva...
(Che vuol dir ciò?)
A
(si vede il padre attraversar da lontano il giardino)
per_dita...ma An_ni_na lo impe_di_rà.
p
A
(per uscire)
Qualcuno è nel giar_dino...Chi è là?..
Son i_o.
UN COMMISSIONARIO
(sulla porta)
Il signor Germont?
U_na
A
(dà una lettera ad Alfredo, riceve una moneta e parte)
Di Vio_
C
dà_ma da un cocchio, per voi, di qua non lunge, mi diede questo scritto...

ANDANTE ♩=80
A
-letta!..
Perchè son io commosso?..
A raggiungerla forse ella m'in-
ANDANTE ♩=80
pp
-vi-ta...
Io tremo!..
Oh
ciel!..
co-
(apre la lettera)
-raggio!..
«Alfredo, al giungervi di que-sto foglio...»
Ah!..
(un grido)
(si volge e si
14
ff
ALLEGRO 𝅗𝅥=100
trova nelle braccia del padre)
Pa-dre mi-o!
GERMONT
Mio fi-glio!
Oh quanto
p
dim.

G
sof - fri!.. Oh tergi il pian - to, ri - tor - na di tuo pa - dre or - go-glio e
pp
ppp
pppp
(Alfredo disperato siede presso il tavolino col volto fra le mani)
van - to.
ANDte PIUTTOSTO MOSSO
15 ♩= 60
p
Di Provenza il mar, il suol chi dal
dolce
allarg.
morendo
cor ti cancellò? chi dal cor ti cancellò? di Pro - venza il mar, il suol? Al na -
marcate
pp

dolce
marcate
pp
G
-tio fulgente sol qual de - stino ti fu-rò? qual de - sti-no ti fu-rò? al na-
pp
-tio fulgente sol? Oh rammen-ta pur nel duol ch'ivi gioja a te brillò, e che
dolce
pp
con espans
f
pa-ce co-là sol su te splendere ancor può, e che pa-ce co-là sol su te
con forza
ppp rall.
splendere ancor può... Dio mi guidò .... Dio mi guidò! Dio mi gui-

G
-dò!
allarg.
p
morendo
dolciss.
marc.
Ah il tuo vecchio ge-ni-tor tu non sai quanto soffrì, tu non
pp
dolce
sai quanto soffri il tuo vecchio geni-tor! Te lon-ta-no, di squallor il suo
pp
marc.
pp
tet-to si coprì, il suo tetto si coprì, di squal-lo-re, di squallor... Ma se al
pp

dolce
pp
-fin ti trovo ancor, se in me speme non fallì, se la vo-ce dell'onor in te ap-
con espress.
pp
f
G
-pien non ammutì, ma se al-fin ti trovo ancor, se in me speme non fallì,
con forza
rall.
pp
f
Dio m'esaudì,............ Dio m'esaudì, Dio m'esau-di, Dio m'esaudì, ma...
dim. ed allarg.
ma... se alfin ti trovo ancor, ti trovo ancor, Dio m'esaudì, Dio m'esaudì!
morendo

(scuotendo Alfredo)
♩=138
G
Nè ri_spon_di d'un pa_dre all'af_fet_to?
ALF.
Mil_le
ALLEGRO ♩=138
colla parte
p a tempo ♩=138
ppp
A
ser_pi di_vo_ranmi il petto...
(respingendo il padre)
Mi la_
sf
p
_scia_te...
(risoluto)
(Oh ven_det_ta!)
GER.
La_sciar_ti!..
Non più indu_gi, par
sf
p
(Ah fu Douphol!)
_tia_mo... t'af_fret_ta...
M'a_scol_ti
sf
f

A.
No!
G.
tu? Dun - que in - va - no tro - va - to t'a - vrò?
3
♩=96
ASSAI MODERATO ♩=96
pp
allarg.
pp
No, non udrai rim - pro - ve - ri; copriam d'oblio il pas - sato:...... l'amor che m'ha gui - da - to sa tutto perdo - nar.
Vieni, i tuoi ca - ri in giu - bi - lo con me ri - vedi an - co - ra; a chi pe - nò fi -

dim. allarg.
G
_no_ra tal gio_ja non ne_gar. Un padre ed u_na suo_ra t'affretta a conso_
colla parte
_la_re, un padre ed u_na suo_ra t'affretta a conso_lar. No; non udrai rim_
dolciss.
lunga
_pro_ve_ri. copriam d'oblio il pas_sato: l'amor sa tut_to, sa tutto per_do_
f
colla parte
_nar. Un padre ed u_na suo_ra t'affretta a conso_la_re, t'affretta, t'af_

G
-fretta a con - so - lar, ah sì t'affretta a conso - lar,
Oppure
-fret - ta a con so - lar.
G
vieni, t'affret - ta a con - so - lar.
ALF.
Mil - le ser - pi divo - ranmi il
A
pet - to...
No.
GER.
M'ascol - ti tu?
8
G
8

G
Un padre ed u_na suo - ra t'affretta a conso_la - re, un padre ed u_na
8
suo - ra t'affretta a conso_lar. No; non udrai rim_pro_ve_ri, copriam d'oblio il pas-
dolciss.
lunga
f
_sato: l'amor sa tut - to, sa tutto per - do_nar. Un padre ed u_na
colla parte
suo - ra t'affretta a conso_la - re, t'affret_ta, t'af_fretta a con - so_

Oppure
-fret-ta a con-so-
f
G
-lar, ah sì t'affretta a conso-lar,
vieni, t'affret-ta a con-so-
Poco più vivo
-lar,
un padre ed u - na suo- - - ra sì t'af-
p Poco più vivo
f
-fret - ta,
ah sì t'af-fret - ta,
ah sì t'af-fret - ta a con - so-
-lar,
un padre ed u - na suo- - - ra sì t'af-
p
pp
f

G
-fret - ta, ah sì t'af - fret - ta, ah sì t'af - fret - ta a con - so-
ALF.
(scuotendosi, vede sulla tavola la lettera di Flora, la scorre ed esclama)
Ah!.. ell'è alla fe-sta... vo - li-si l'of-
G
-lar.
16
colla parte
ff
p
A
(fugge precipitosamente inseguito dal padre)
-fe - sa a ven - di - car.
G
Che dici? ah fer - - - ma!
(f)
ff

FINALE SECONDO

GALLERIA NEL PALAZZO DI FLORA

riccamente addobbata e illuminata. Una porta nel fondo e due laterali. A destra più avanti un tavoliere con quanto occorre pel giuoco: a sinistra, ricco tavolino con fiori e rinfreschi, varie sedie e un divano.

(Flora, il Marchese, il Dottore ed altri invitati entrano dalla sinistra, discorrendo fra loro)

F
Vi-o-let- -ta ed Al-fre-do an-co in-vi-tai...
f p
MAR.
La no-vità i-gno-ra-te?.. Violet- -ta e Germont so-no dis-
pp
FLO.
Fia ve-ro?..
DOT.
Fia ve-ro?..
Li
M
-giun-ti. El-la ver-rà qui col ba-rone.
(s'ode rumore a destra)
F
Silenzio...U-
D
vi-di je-ri ancor!.. pa-re-an fe-li-ci.
pp

(vanno verso la destra)
F
-di - te?..
Giun - go-no gli a-mi-ci.
D
Giun - go-no gli a-mi-ci.
MAR.
Giun - go-no gli a-mi-ci.
cres.
18
ff
CORO DI ZINGARELLE
(Una parte di queste Zingarelle terrà in mano una bacchetta, l'altra parte un tamburello da percuotere a tempo. I colpi dei tamburelli saranno così segnati ○○)
ALL.º MODERATO
p
Noi sia-mo zin-ga-rel - le ve-nu-te da lon-ta-no; d'o-
ALL.º MODERATO
pp
legg. stacc.
-gnu-no sul-la ma - no leg-gia-mo l'av-ve - nir.
Se
legg.

consultiam le stel_le, con_sultiam le stel _ le nul _ l'av_vi a noi d'oscu_ro, no, nul_
19
_l'avvi a noi d'oscu _ ro, e i ca_si del fu _ tu _ ro pos_siamo al_trui pre _
_dir. Se con_sultiam le stel _ le null'av_vi a noi d'o_scur, e i ca _ si del fu_
_tu _ ro possiamo altrui pre_dir, e i ca_si del fu_tu_ro e i ca_si del fu_
pp
pp

_tur e i ca_si del fu_tu_ro possiamo al_trui, possiamo altrui pre_
_dir, e i ca_si del fu_tu_ro e i ca_si del fu_tur e i ca_si del fu_
_tu_ro possiamo al_trui, possiamo altrui pre_dir. Ve_
_dia_mo!
(osservando la mano di Flora)
una parte del Coro
Voi, si_gno_ra, ri_
pp
f
p
20

-va - li alquan - te a-ve - te...
p
2a parte del Coro
(osservando la mano del Marchese)
Mar-che - se, voi non sie - te mo-
FLORA
(al Marchese)
Fate il galante an-cora? ben, vo'me la pa-
-del di fe - -del-tà.
pp leggero
-ghia - te.
La vol-pe lascia il
MAR.
(a Flora)
Che diamin vi pen-sa - te?.. l'accusa è fal-si - tà.

F
pe - lo, non abbandona il vi - zio... Marchese mio, giu - di - zio, o vi farò pen -
F
- tir, Marchese mio, giu - dizio, o vi fa - rò pen - tir, Marchese mio, giu - dizio, o vi fa - rò pen -
F
- tir......................
DOTTORE
p
Su via, si stenda un ve - - lo sui fat - ti del pas -
CORO
p
Su via, si stenda un ve - - lo sui fat - ti del pas -
leggero
D
- sa - to; già quel ch'è sta - to è sta - - to, ba - da - te all' av - ve -
21
- sa - to; già quel ch'è sta - to è sta - - to, ba - da - te all' av - ve -

FLORA
Su via, si stenda un ve_lo sui fat_ti del pas_sa_to; già quel ch'è stato è
D
_nir. Su via, si stenda un ve_lo sui fat_ti del pas_sa_to; già quel ch'è stato è
MAR.
Su via, si stenda un ve_lo sui fat_ti del pas_sa_to; già quel ch'è stato è
_nir. Su via, si stenda un ve_lo sui fat_ti del pas_sa_to; già quel ch'è stato è
F
sta_to, badiamo all' av_ve_nir, già quel ch'è stato è sta_to, ba_diamo all'av_ve_
D
sta_to, bada_te all' av_ve_nir, già quel ch'è stato è sta_to, ba_da_te all'av_ve_
M
sta_to, badia_mo all'av_ve_nir, già quel ch'è stato è sta_to, ba_diamo all'av_ve_
sta_to, bada_te all' av_ve_nir, già quel ch'è stato è sta_to, ba_da_te all'av_ve_

F
D
M
_nir, ba _ diamo all'av_ve_nir, ba _ dia _ _ mo, badiamo all'av _ ve _
_nir, ba _ da _ _ te, ba _ da _ _ te ba_da_te all'av _ ve _
_nir, ba _ dia _ _ _ mo, sì ba _ dia_mo al _ l'av _ ve _
_nir, ba _ da_te all'av_ve_nir, ba _ da _ _ te, bada_te all'av _ ve _
pp
_nir: già quel ch'è stato è sta_to, ba _ diamo all'av_ve_nir, ba _ diamo all'av_ve_
_nir: già quel ch'è stato è sta_to, ba _ da_te all'av_ve_nir, ba _ da _ _ _
_nir; già quel ch'è stato è sta_to, ba _ diamo all'av_ve_nir, ba _ dia _ _ _
_nir: già quel ch'è stato è sta_to, ba _ da_te all'av_ve_nir, ba _ da_te al_l'av_ve_

F
D
M
_nir, ba_dia_ _mo, badiamo all'av_ve_nir, ah sì badiamo all'av_ve_
_te, ba_da_ _te, ba_da_te all'av_ve_nir, sì bada_te all'av_ve_
_mo, sì ba_diamo al_ _l'av_ve_nir, sì badiamo all'av_ve_
ah sì
_nir, ba_da_ _te, ba_da_te all'av_ve_nir, sì bada_te all'av_ve_
(Flora ed il Marchese si stringono la mano)
_nir sì sì badia_mo all'av_ve_nir
_nir sì sì bada_te all'av_ve_nir
_nir sì sì badia_mo all'av_ve_nir
_nir sì sì ba_da_te all'av_ve_nir

CORO DI MATTADORI SPAGNUOLI

(Gastone ed altri mascherati da Mattadori e Piccadori spagnuoli entrano vivacemente dalla destra)

grasso; e u-na sto - ria, se udi - re vor - re - te, quali a - man - ti noi sia - mo, sa-
grasso; e u-na sto - ria, se udi - re vor - re - te, quali a - man - ti noi sia - mo, sa-
p
FLO.
f
Sì, sì, bra - vi; narra - te, nar - rate, con pia - ce - re l'u - dremo.
DOT.
f
Sì, sì, bra - vi; narra - te, nar - rate, con pia - ce - re l'u - dremo.
MAR.
f
Sì, sì, bra - vi; narra - te, nar - rate, con pia - ce - re l'u - dremo.
CORO di donne
f
Sì, sì, bra - vi; narra - te, nar - rate, con pia - ce - re l'u - dremo.
- prete.
- prete.
f
ff

GASTONE col I.º Tenore
ALL.º ASSAI VIVO
Ascol_ta - te. È Pi_quil_lo un
Ascol_ta - te. È Pi_quil_lo un
22
ALL.º ASSAI VIVO
p
bel ga_gliar_do bi - sca_gli - no mat - ta_dor: for - te il
bel ga_gliar_do bi - sca_gli - no mat - ta_dor: for - te il
brac - cio, fie - ro il guar - do, del - le gio - stre egli è si_gnor.
brac - cio, fie - ro il guar - do, del - le gio - stre egli è si_gnor.

D'an - da - lu - sa gio - vi - netta fol - le - men - te in - namo -
D'an - da - lu - sa gio - vi - netta fol - le - men - te in - namo -
- rò; ma la bel - la ri - tro - set - ta co - si al gio - va -
- rò; ma la bel - la ri - tro - set - ta co - si al gio - va -
tr
- ne par - lò: Cin - - que to - ri in un sol
pp
pp.
- ne par - lò: Cin - - que to - ri in un sol
pp

gior - no vo' ve - der - ti ad at - ter - rar; e, se vin - ci, al tuo ri -
gior - no vo' ve - der - ti ad at - ter - rar; e, se vin - ci, al tuo ri -
- tor - no ma - no e cor ti vo' do - nar. Sì, gli dis - se, e il mat - ta -
- tor - no ma - no e cor ti vo' do - nar. Sì, gli dis - se, e il mat - ta -
I Piccadori batteranno contro terra le loro picche a tempo.
Il colpo delle picche sarà segnato così
23
- do - re al - le gio - stre mos - se il piè; cin - que to - ri,
- do - re al - le gio - stre mos - se il piè; cin - que to - ri,

vin - ci - to - re, sul - l'a - re - na egli sten - dè, cin - que
vin - ci - to - re, sul - l'a - re - na egli sten - dè, cin - que
to - ri, vin - ci - to - re, sul - l'a - re - na egli sten - dè.
to - ri, vin - ci - to - re, sul - l'a - re - na egli sten - dè.
FLO.
Bra - vo, bra - vo il mat - ta - do - re, ben ga -
DOT.
Bra - vo, bra - vo il mat - ta - do - re, ben ga -
MAR.
Bra - vo, bra - vo il mat - ta - do - re, ben ga -
CORO
Donne
Bra - vo, bra - vo il mat - ta - do - re, ben ga -

F
D
M
_gliar _ do si mo_strò, se al _ la gio _ va _ ne l'a _ mo _ re
in tal gui _ sa e_gli pro _ vò!
GAS. col I° Tenore
CORO
Poi. tra plau _ si, ri _ tor_
Poi, tra plau _ si, ri _ tor_

-na - to al - la bel - la del suo cor, col - se il pre - mio
-na - to al - la bel - la del suo cor, col - se il pre - mio
de - si - a - to tra le brac - cia del - l'a - mor.
de - si - a - to tra le brac - cia del - l'a - mor.
FLO.
Con tai pro - ve i mat - ta - dori san le bel - le con - qui - star.
DOT.
Con tai pro - ve i mat - ta - dori san le bel - le con - qui - star.
MAR.
Con tai pro - ve i mat - ta - dori san le bel - le con - qui - star.
Donne
Con tai pro - ve i mat - ta - dori san le bel - le con - qui - star.

GAS. col I° Tenore
Ma qui son più mi - ti i co - ri; a noi ba - sta fol - leg-
Ma qui son più mi - ti i co - ri; a noi ba - sta fol - leg-
tr
FLO.
ppp
Sì, al - le - gri, or pria ten - tia - mo del - la
DOT.
ppp
Sì, al - le - gri, or pria ten - tia - mo del - la
MAR.
ppp
Sì, al - le - gri, or pria ten - tia - mo del - la
S.
Le Zingarelle percuoteranno il tamburello.
ppp
Sì, al - le - gri, or pria ten - tia - mo del - la
T.
I Piccadori batteranno le picche in terra.
ppp
- giar. Sì, al - le - gri, or pria ten - tia - mo del - la
B.
ppp
- giar. Sì, al - le - gri, or pria ten - tia - mo del - la
CORO
pp

F
D
M
cres.
sor_te il va_rio umor; la pa_le_stra di_schiudia_mo a_gli au
sor_te il va_rio umor; la pa_le_stra di_schiudia_mo a_gli au_
cres.
24
cres. ancora
_da_ci giuo_ca_tor, la pa_le_stra di_schiudia_mo a_gli au_
cres. ancora

25
ff
F
-da - ci giuo - ca - tor. Sì,........al - le - gri, or pria ten - tia - mo
D
-da - ci giuo - ca - tor. Sì,........al - le - gri, or pria ten - tia - mo
M
-da - ci giuo - ca - tor. Sì,........al - le - gri, or pria ten - tia - mo
-da - ci giuo - ca - tor. Sì,........al - le - gri, or pria ten - tia - mo
-da - ci giuo - ca - tor. Sì,........al - le - gri, or pria ten - tia - mo
-da - ci giuo - ca - tor. Sì,........al - le - gri, or pria ten - tia - mo
F
del - la sor - te il va - rio u - mor; la........ pa - le - stra
D
del - la sor - te il va - rio u - mor; la........ pa - le - stra
M
del - la sor - te il va - rio u - mor; la........ pa - le - stra
del - la sor - te il va - rio u - mor; la........ pa - le - stra
del - la sor - te il va - rio u - mor; la........ pa - le - stra
del - la sor - te il va - rio u - mor; la........ pa - le - stra

F
D
M
di - schiu - dia - mo a - gli au - da - ci giuo - ca - tor sì dischiu-
(gli uomini si tolgono la maschera: chi passeggia e chi si accinge a giuocare)
-diamo ai giuoca - tor ...

FLO.
ALLEGRO
(entra Alfredo)
Al - fre - do!.. Voi!..
ALF.
Si, a - mi - ci...
GAS.
Al - fre - do!.. Voi!..
DOT.
Al - fre - do!.. Voi!..
MAR.
Al - fre - do!.. Voi!..
ALLEGRO
Al - fre - do!.. Voi!..
Al - fre - do!.. Voi!..
Al - fre - do!.. Voi!..
ALLEGRO
F
Vio - let - ta?
A
(secco)
Non ne

F
Ben di-sin - vol - to!.. bravo!.. Or
A
so.
GAS.
Ben di-sin - vol - to!.. bravo!.. Or
DOT.
Ben di-sin - vol - to!.. bravo!.. Or
MAR.
Ben di-sin - vol - to!.. bravo!.. Or
Ben di-sin - vol - to!.. bravo!.. Or
Ben di-sin - vol - to!.. bravo!.. Or
Ben di-sin - vol - to!.. bravo!.. Or

F
via, giuocar si può.
G
via, giuocar si può.
D
via, giuocar si può.
M
via, giuocar si può.
via, giuocar si può.
via, giuocar si può.
via, giuocar si può.
ff
ALL° AGITATO
(Gastone si pone a tagliare, Alfredo ed altri puntano)
estremamente pp
26

FLO.
(Entra Violetta a braccio del Barone. Flora va loro incontro)
Qui desi_a _ ta giungi...
VIO.
Cessi al corte_se in_vi_to.
F
Grata vi son, ba_ro_ne, d'averlo pur gra_
F
_dito.
BARONE
(piano a Violetta)
Germont è
VIO.
(da sè)
(Cielo! gli è vero!)
(piano al Barone)
Il ve_do.
B
qui!.. il ve_de_te?..
(cupo)
Da

B
voi non un sol detto si volga a questo Alfredo... non un
VIO.
(da sè)
Ah per - chè............ ven-ni, in - cau - ta! pie-
B
det-to! non un detto!
V
dim.
pp
-tà, gran Dio, pietà, gran Dio, di me!
dim.
pp
morendo
pp
(fa sedere Violetta presso di sè sul divano; il Dottore si avvicina ad esse; il Marchese si trattiene a parte col Barone; Gastone taglia, Alfredo ed altri puntano, altri passeggiano)
FLORA
Me-co t'as-sidi; narrami: quai no-vi-tà vegg' i-o?..

ALF.
(Flora e Violetta parlano fra loro)
Un quattro! Sfor_tu_na nell'a_
GAS
Ancora hai vin_to.
A
_mo - re for_tu_na reca al giuo - co...
(punta e vince)
G
È sempre vin_ci_tore!..
MAR.
È sempre vin_ci_tore!..
Ten.
È sempre vin_ci_tore!..
B.
È sempre vin_ci_tore!..
CORO
ALF.
Oh vince_rò stasse - - ra, e l'o_ro gua_da_gna - to poscia a goder tra'

FLO.
Solo?..
A
cam - pi ri - tor - ne - rò be - a - - to.
No... no...
con ta - le che vi fu meco an - co - ra, poi mi sfug -
VIO.
(Mio Dio!)
(piano al Barone)
(Fre - na - te - vi, o vi lascio.)
(disinvolto)
- gi - a...
Ba
GAS.
(ad Alfredo indicando Violetta)
(Pie - tà di lei.)
(ad Alfredo con mal frenata ira)
BAR.
Si - gnor!..
- ro - ne, m'ap - pel - la - ste?
B
(ironico)
Siete in sì gran for - tu - na, che al

VIO.
(da sè)
cres.
(Che fi - a?.. mo-
(ironico)
A
Sì?.. La disfi - da accetto.
B
giuo - co mi ten-ta-ste...
p
ppp
cres.
V
dim.
pp
morendo
-rir mi sen - to!.. pie-tà, gran Dio, pietà, gran Dio, di
dim.
pp
morendo
V
me!)
ALF.
(punta)
Ed al-la man - ca cen-to...
(punta)
BAR.
Cen-to lu-i - gi a de-stra...
pp

GAS.
(tagliando)
(ad Alfredo)
BAR.
Un as-so... un fan-te... hai vin-to! Il
ALF.
GAS.
(tagliando)
Il dop-pio si-a.
Un
B
doppio?..
ALF.
Pur la vit-to-ria è mi-a!
G
quattro... un set-te...
DOT.
Anco-ra!..
MAR.
Anco-ra!..
S.
Anco-ra!..
T.
Anco-ra!..
B.
Anco-ra!..
CORO

GAS.
Bravo dav_ver!.. la sor - te è tut - ta per Al - fre - do!..
D
Bravo dav_ver!.. la sor - te è tut - ta per Al - fre - do!..
M
Bravo dav_ver!.. la sor - te è tut - ta per Al - fre - do!..
Bravo dav_ver!.. la sor - te è tut - ta per Al - fre - do!..
Bravo dav_ver!.. la sor - te è tut - ta per Al - fre - do!..
Bravo dav_ver!.. la sor - te è tut - ta per Al - fre - do!..
FLO.
Del villeggiar la spe - sa fa - rà il ba - ron, già il ve - do.

F
An-
ALF.
(al Barone)
Se-gui-te pur!
entra un SERVO
La ce- -na è pronta.
VIO.
(da sè)
(tutti partono, restando
(Che fi-
F
-diamo.
An-dia-mo.
GAS.
An-dia-mo.
An-diam.
DOT.
An-dia-mo.
An-diam.
MAR.
An-dia-mo.
An-diam.
S.
An-dia-mo.
An-diam.
T.
An-dia-mo.
An-diam.
B.
An-dia-mo.
An-diam.
CORO
dim.
p
ppp
p

V
cres.
dim.
pp
_a?.. mo _ rir mi sen _ to!.. pie_tà, gran Dio, pietà, gran Dio, di
cres.
dim.
pp
me!)
ALF.
(al Barone)
Se con_tinuar v'aggra_da...
BAR.
Per o _ ra nol pos_sia_mo: più
pp
A
Al giuo_co che vor_rete.
B
tar_di la ri_vin _ ci_ta.
B
Se_ guiam gli ami_ci...

ALF.
(si allontanano)
Sa - rò qual bra - me - rete.
Andiam.
B
po - scia...
ppp
(ben lontano)
B
Andiam.
p
morendo
ppp
pppp
pppp
27
(Violetta ritorna affannata, indi Alfredo.)
ALL° AGITATO ASSAI VIVO
pp
cre - scen - do
ff
VIO.
In - vi - ta - to a qui se - guirmi, verrà
pp
pp

V
desso?.. vorrà u_dirmi?.. Ei ver_rà... chè l'o_dio a_
p
colla parte
V
_tro_ce puo_te in lui più di mia vo_
a tempo
28
ff a tempo
V
_ce...
p
p
V
Questi luo_ghi abban_do_
ALF.
Mi chiamaste?.. che bramate?..

V
-na-te; un pe-riglio vi sovrasta...
A
Ah, comprendo!.. Ba-sta,
V
Ah no, no, mai...
A
basta... E sì vi-le mi cre-de-te? Ma che te-
V
Tremo sem-pre del ba-ro-ne...
A
-me-te? È fra noi mortal qui-
A
-stione... S'ei ca-drà per ma-no mi-a, un sol col-po vi tor-

A
-ri - a, un sol col-po vi tor-ri-a col-l'a-man-te il pro-tet-
VIO.
Ma s'ei fos-se l'uc-ci-
A
-to-re... V'atter-ri-sce tal scia-gura?
V
-so-re!.. ec-co l'u-ni-ca sven-tu-ra ch'io pa-ven-to a me fa-
V
-ta-le. Deh, par-
ALF.
La mia mor-te!.. che ven ca-le?

V
A
_ti _ te... e sull'i _ stante.
Par_ti _ rò, ma giura in _ nante che do _
Ah no, giam_
_vunque se_gui _ ra_i, se_gui _ rai i passi mie_i...
_ma _ i. Va, sciagu _ rato! scorda un
No!.. giam_ma_i!..
no _ me ch'è infa _ ma _ to... va, mi la _ scia sul mo_

V
_men_to... di fug_gir _ ti un giu _ ra _ men _ to sa _ cro io
ALF. fe_ci...
A chi drit _ to pien n'a_
A chi?.. dillo... chi po_te_a?..
_ve_a.
(con supremo sforzo)
Sì.
A
Fu Douphol?..
Dunque l'a_ _ _ _
Eb _ ben...
l'a _ mo...
(corre furente a spalancare la porta)
_mi?
Or tut _ ti a
cres.

(Tutti entrano confusamente)
A
me.
29
ff
FLO.
Ne ap - pel-la-ste?.. che vo-le-te?..
(additando Violetta che abbattuta si appoggia al tavolino)
A
Questa don - - - na co - no-
GAS.
Ne ap - pel-la-ste?.. che vo-le-te?..
BAR.
Ne ap - pel-la-ste?.. che vo-le-te?..
D.e M.
Ne ap - pel-la-ste?.. che vo-le-te?..
CORO
S.
Ne ap - pel-la-ste?.. che vo-le-te?..
T.
Ne ap - pel-la-ste?.. che vo-le-te?..
B.
Ne ap - pel-la-ste?.. che vo-le-te?..
dim.
f

VIO.
(Ah! taci.)
F
Chi? Vio_let_ta?
No.
A
_scete? Che fa_ces _ _ se non sa_pete?
G
Chi? Vio_let_ta?
No.
B
Chi? Vio_let_ta?
No.
D.M
Chi? Vio_let_ta?
No.
Chi? Vio_let_ta?
No.
Chi? Vio_let_ta?
No.
Chi? Vio_let_ta?
No.
(f)
ALF.
ALL.º SOSTENUTO
30
O_gni suo aver tal fem _ mina per a_mor mio sper_
ALL.º SOSTENUTO
(p)

A
-de - - a... Io cie-co, vi-le, mi - - sero,
Animato
tut - to ac-cettar po-te - - - a. Ma è tempo anco - - ra!..
Animato
ter - ger-mi da tan-ta mac - chia bra - - mo...
qui .... te - sti-mon vi chiamo, or testimon vi chia - mo,

A
or testimon vi chia - - mo che qui, chequipa_ga - taio
ff
VELOCISSIMO
(getta con furente sprezzo una borsa a' piè di Violetta, che sviene fra le braccia di Flora)
l'ho.
GAS.
f
Oh, in_famia or - ri - bi_le tu commet - te - sti! un cor sen - si_bi_le
VELOCISSIMO
S.
Oh, in_famia or - ri - bi_le tu commet - te - sti! un cor sen - si_bi_le
T.
Oh, in_famia or - ri - bi_le tu commet - te - sti! un cor sen - si_bi_le
BAR. e DOT. coi 1i
MAR. coi 2i
B.
Oh, in_famia or - ri - bi_le tu commet - te - sti! un cor sen - si_bi_le
CORO
31
(ff)
VELOCISSIMO
(ff)

(in questo momento entra Germont)
C°
co_sì ucci _ de _ sti!.. Di donne i_gno_bi_le in_sulta _ to_re, di qua allon_
co_sì ucci _ de _ sti!.. Di donne i_gno_bi_le in_sulta _ to_re, di qua allon_
co_sì ucci _ de _ sti!.. Di donne i_gno_bi_le in_sulta _ to_re, di qua allon_
co_sì ucci _ de _ sti!.. D'i donne i_gno_bi_le in_sulta _ to_re, di qua allon_
G
_ta_nati, ne desti orror! va, va, va, va, va, va, ne desti or_ror!
_ta_nati, ne desti orror! va, va, va, va, va, va, ne desti or_ròr!
_ta_nati, ne desti orror! va, va, va, va, va, va, ne desti or_ror!
_ta_nati, ne desti orror! va, va, va, va, va, va, ne desti or_ror!

G
di donne ignobile insulta - to - re, di qua allon - ta - nati, ne desti or - ror, ne desti or -
di donne ignobile insulta - to - re, di qua allon - ta - nati, ne desti or - ror, ne desti or -
di donne ignobile insulta - to - re, di qua allon - ta - nati, ne desti or - ror, ne desti or -
di donne ignobile insulta - to - re, di qua allon - ta - nati, ne desti or - ror, ne desti or -
32
G
- ror, ne desti or - ror, ne desti or - ror, ne desti or - ror, ne de - -
- ror, ne desti or - ror, ne desti or - ror, ne desti or - ror, ne de - -
- ror, ne desti or - ror, ne desti or - ror, ne desti or - ror, ne de - -
- ror, ne desti or - ror, ne desti or - ror, ne desti or - ror, ne de - -

G
-sti or - ror, nè desti orror, ne desti or-ror, ne desti or-ror, ne desti or-ror,
-sti or - ror, ne desti orror, ne desti or-ror, ne desti or-ror, ne desti or-ror,
-sti or - ror, ne desti orror, ne desti or-ror, ne desti or-ror, ne desti or-ror,
-sti or - ror, ne desti orror, ne desti or-ror, ne desti or-ror, ne desti or-ror,
G
ff
ne de - sti or - ror ....
ne de - sti or - ror ....
ne de - sti or - ror ....
ne de - sti or - ror ....

GERMONT
(con dignitoso fuoco)
LARGO
(p)
Di sprezzo degno sè stesso rende chi pur nell'i_ra la donna of_
grandioso
p
_fende... Dov'è mio fi _ glio?..più non lo ve _ do; in te, in te più Al_
_fre _ do trovar no,no, non so. Dov'è mio figlio?.. più non lo
cres. sempre
con forza
accel.
vedo; in te più Alfre _ do tro _ var, ... no,più Alfre _ do tro_var non
accel. colla parte

ALF.
(da sè)
(Ah sì! che fe_ci!.. ne sento orro_re! Ge_lo_sa smania, de_luso a_
G
so.
A
_mo_re mi strazian l'alma... più non ragiono... da lei per_do_no più non a_
A
_vrò. Volea fuggir_la... non ho po_tu_to... dall'i_ra spinto son qui ve_
A
_nu_to!.. Or che lo sdegno ho di_sfo_ga_to, me sciagu_ra_to! rimor_so

FLO. (a Violetta)
Oh .... quan_to pe_ni! ma pur fa
A
n'ho! Che
GAS.
Oh .... quan_to pe_ni! ma pu_re fa
GERM. (da sè)
(Io .... sol fra tan_ti so qual vir_
(piano ad Alfredo)
BAR.
A questa, a questa donna, a questa donna l'a_troce in_
DOT.
Oh .... quan_to pe_ni! ma pur fa
MAR.
Oh .... quan_to pe_ni! ma pur fa
CORO
S.
Oh .... quan_to pe_ni! ma pur fa
T.
Oh .... quan_to pe_ni! ma pu_re fa
B.
Oh .... quan_to pe_ni! ma pur fa

F
cor... qui .... sof_fre o_gnu _ no del tuo do _
A
fe _ _ ci! ohi_
G.e
cor... qui .... sof_fre o_gnu _ no del tu _ o do _
G.t
_tu _ de di quel_la mi _ se _ ra il sen........ rac _
B
_sul _ to qui tutti of_fe_se, ma non i_nul_to fia tanto ol_
D
cor... qui .... sof_fre o_gnu _ no del tuo do _
M
cor... qui .... sof_fre o_gnu _ no del tuo do _
cor... qui .... sof_fre o_gnu _ no del tuo do _
cor... qui .... sof_fre o_gnu _ no del tu _ o do _
cor... qui .... sof_fre o_gnu _ no del tuo do _

F
-lor: fra cari ami-ci qui sei sol-tanto, rasciuga il pianto che t'inon-
A
-mè! ohimè, che fe-ci! ne sento orro-re... da lei per-do-no più non a-
Gc
-lor: fra cari ami-ci qui sei sol-tan-to, rasciuga il pianto che t'inon-
Gt
-chiude... io so che l'ama, che gli è fe-de-le; eppur cru-de-le tacer do-
B
-traggio... provar vi voglio, provar vi voglio che il vostro orgoglio fiaccar sa-
D
-lor; fra cari ami-ci qui sei sol-tan-to, rasciuga il pianto che t'inon-
M
-lor; fra cari ami-ci qui sei sol-tan-to, rasciuga il pianto che t'inon-
-lor; fra cari ami-ci qui sei sol-tan-to, rasciuga il pianto che t'inon-
-lor; fra cari ami-ci qui sei sol-tan-to, rasciuga il pianto che t'inon-
-lor; fra cari ami-ci qui sei sol-tan-to, rasciuga il pianto che t'inon-
33

con voce debolissima e con passione
VIO.
(riavendosi)
Alfre_do, Alfre _ do, di que_sto co _ re non puoi com_
F
_dò.
A
_vrò.)
G.e
_dò.
G.t
_vrò!..)
B
_prò.
D
_dò.
M
_dò.
_dò.
_dò.
_dò.
p
V
_pren _ dere tutto l'a_mo _ re... tu non co_no _ sci che fi_no a

ancora pianissimo
V
prezzo del tuo di_sprez_zo provato io l'ho. Ma ver_rà
F
Quanto pe_ni! fa cor!
A
(Ohimè! che feci! ne sento orror!
G.e
Quanto pe_ni! fa cor!
G.t
B
Provar vi voglio
D
Quanto pe_ni! fa cor!
M
Quanto pe_ni! fa cor!
Quanto pe_ni! fa cor!
Quanto pe_ni! fa cor!
Quanto pe_ni! fa cor!

V
tem_po, in che il sapra - i... come t'amas - si........ confesse_
F
quanto pe_ni! fa cor!
A
ohimè! che feci! ne sento orror!
G.e
quanto pe_ni! fa cor!
G.t
(Io so che l'a - - ma, che gli è fede - -
B.
che il vo - stro orgoglio
D
quanto pe_ni! fa cor!
M
quanto pe_ni! fa cor!
quanto pe_ni! fa cor!
quanto pe_ni! fa cor!
quanto pe_ni! fa cor!
cres. dim.

V
-ra - i... Dio dai ri-mor-si ti sal - vi al-lo-ra, dai rimorsi, dai ri-
F
quanto pe-ni! fa cor! fra ca-ri a-mi-ci
A
ohimè! che feci! ne sento orror! gelo-sa sma-nia, delu-so a-
G.e
quanto pe-ni! fa cor! fra ca-ri a-mi-ci
G.t
-le; ep - - pur cru-de - -
B
fiaccar saprò! che il vo-stro or-go - -
D
quanto pe-ni! fa cor! fra ca-ri a-mi-ci
M
quanto pe-ni! fa cor! fra ca-ri a-mi-ci
quanto pe-ni! fa cor!
quanto pe-ni! fa cor!
quanto pe-ni! fa cor!

cres.
dim.
-mor-si-Dio ti...salvi, salvi allor... ah!.................................. io spen - ta an-
sei... ra - - sciu - - ga il
-mor! ohimè! che feci! ne sento orrore! gelosa smania, deluso a-
sei... ra - - sciu - - ga il
-le ep - - pur cru - - -
-glio che il vo - - stro or - -
sei... ra - - sciu - - ga il
sei... ra - - sciu - - ga il
ra - - sciu - - ga il
ra - - sciu - - ga il
ra - - sciu - - ga il
cres.
dim.
pp stacc.

V
-co - ra t'a - me - rò .... t'a - me -
F
pian - - - to che t'i - - - non - - -
A
-mo-re mi strazian l'alma... più non ra-gio-no... da lei per-do-no più non a-
Gᵉ
pian - - - to che t'i - - - non - - -
Gᵗ
-de - - - le ta - cer do - - -
B
-go - - - glio fiac - car sa - - -
D
pian - - - to che t'i - - - non - - -
M
pian - - - to che t'i - - - non - - -
pian - - - to che t'i - - - non - - -
pian - - - to che t'i - - - non - - -
pian - - - to che t'i - - - non - - -

V
-rò... dai..... ri-mor - - sì.............Dio ti sal - vi al-
F
-dò, ra-sciu - - - - - - - ga il
A
-vrò. Vo-lea fuggir - la, non ho po - tu - to, dal - l'ira spin - to son qui ve-
G.e
-dò, ra-sciu - - - - - - - ga il
G.t
-vrò. io so che l'a - ma, che gli è fe - del, è fe -
B
-prò, a que - sta donna l'a-tro-ce in - sul-to qui tut-ti of - fe-se, ma non i -
D
-dò, ahi quan - to pe-ni! ma pur fa co-re, qui sof-fre o - gnuno del tu - o do-
M
-dò, ahi quan - to pe-ni! ma pur fa co-re, qui sof-fre o - gnuno del tu - o do-
-dò, ah! sì, fra ca - ri a - mi - ci
-dò, ah! sì, fra ca - ri a - mi - ci
-dò, ah! sì, fra ca - ri a - mi - ci

V
-lor... spen-ta an-co - - ra........... pur........... t'a - me-
F
pian-to che t'i - - - - - - - - - non-
A
cres.
-nu-to! or che lo sde - gno ho di-sfo - ga - to, me sciagura - to, ri - morso
Gᵉ
pian-to che t'i - - - - - - - - non-
Gᵗ
'-del, eppur crude - le ta-cer do - vrò,
B
-nulto fia tanto ol-traggio, provar vi voglio che tanto or-goglio fiaccar sa-
D
-lo-re, fra ca-ri a - mi-ci tu se-i sol - tanto, rasciuga il pianto che t'i - non-
M
-lo-re, fra ca-ri a - mi-ci tu se-i sol - tanto, rasciuga il pianto che t'i - non-
sei, ah! sì, fra ca - ri a - mi - ci
sei, ah! sì, fra ca - ri a - mi - ci
sei, ah! sì, fra ca - ri a - mi - ci
cres.

V
-rò, ah spen - - ta anco - ra, spen - ta an-
F
-dò, ra - - - - sciu - ga il
A
n'ho, rimorso n'ho, rimorso n'ho! or che lo sde - gno ho disfoga - -
G.C
-dò, ra - - - - sciu - - ga il
G.t
eppur crudel, eppur crudel ta - - - - - cer, ep-pur cru-
B
-prò, provar vi voglio che tan-to or-goglio fiac-car saprò, pro-var vi
D
-dò, fra ca-ri a-mi-ci tu sei sol-tanto, ra-sciuga il pianto che t'i - non-
M
-dò, fra ca-ri a-mi-ci tu sei sol-tanto, ra-sciuga il pianto che t'i - non-
sei, ra - sciu - ga il pian - - to che t'i - - non - -
sei, ra - sciu - ga il pian - - to che t'i - - non - -
sei, ra - sciu - ga il pian - - to che t'i - - non - -

V
-co - ra t'a - me-rò .... t'a - me-rò, dai ri-
F
pian - to che t'i-nondò, che t'i - non-dò, ra-
A
-to, rimor-so n'ho, rimor - so n'ho! vo-lea fuggir - la, non ho po-
Gc
pian - to che t'i-nondò, che t'i - non-dò, ra-
Gt
-de - le, eppur crudel ta-cer do-vrò, io so che l'a - ma, che gli è fe-
B
voglio che tanto or-goglio fiaccar sa-prò, a que - sta donna l'a-troce in-
D
-dò, ra-sciuga il pianto che t'i - non-dò, ahi quan - to pe-ni! ma pur fa
M
-dò, ra-sciuga il pianto che t'i - non-dò, ahi quan - to pe-ni! ma pur fa
-dò, che t'i-nondò, che t'i - non-dò, ah sì, fra
-dò, ra - sciu - ga il pian - to, ah sì, fra
-dò, ra-sciuga il pianto che t'i - non-dò, ah sì, fra
34

V
-mor - -si............Dio ti sal-vi al-lor... spen-ta an-
F
-sciu - - - - - - - -ga il pian-to che
A
-tu - to, dal - l'ira spin - to son qui ve-nu-to! or che lo sde-gno ho di-sfo-
cres.
G.e
-sciu - - - - - - - -ga il pian-to che
G.t
-del, è fe - del, eppur crude - le tacer do-
cres.
B
-sul-to qui tut-ti of - fe-se, ma non i - nul-to fia tanto ol-traggio, provar vi
D
co-re, qui soffre o-gnuno del tu-o do - lo-re, fra ca-ri a-mi-ci tu se-i sol-
M
co-re, qui soffre o-gnuno del tu-o do - lo-re, fra ca-ri a-mi-ci tu se-i sol-
ca - ri a - mi - ci sei, ah! sì, fra
ca - ri a - mi - ci sei, ah! sì, fra
ca - ri a - mi - ci sei, ah! sì, fra
cres.

V
-co - - ra pur t'a - me - rò, ah
F
t'i - - - - - - - -non - dò,
A
-ga - to, me sciagura - to, ri - morso n'ho, rimorso n'ho, rimorso
Gᵉ
t'i - - - - - - - - non - dò.
Gᵗ
-vrò, eppur crudel, eppur crudel
B
voglio che tanto or - goglio fiaccar sa - prò, provar vi vo-glio che tan - to or-
D
-tanto, rasciuga il pianto che t'i - non - dò, fra ca - ri ami-ci tu sei sol-
M
-tanto, rasciuga il pianto che t'i - non - dò, fra ca - ri ami-ci tu sei sol-
ca - ri a - mi - ci sei, ra - sciu - ga il
ca - ri a - mi - ci sei, ra - sciu - ga il
ca - ri a - mi - ci sei, ra - sciu - ga il

V
spen - - ta anco - ra, spen - ta an_co - ra t'a - merò,........ t'a - me-
F
ra - - sciu - ga il pian _ to che t'inondò, che t'i - non-
A
n'ho, or che lo sde - gno ho disfoga - - to rimorso n'ho, rimor - so
Ge
ra - - - sciu - ga il pian _ to che t'inondò, che t'i - non-
Gt
ta - - - cer, ep _ pur cru _ de - le, eppur crudel ta_cer do-
B
_go_glio fiac _ car saprò, pro _ var vi voglio che tanto orgoglio fiaccar sa-
D
_tanto, ra _ sciuga il pianto che t'i - non _ dò, rasciuga il pianto che t'i - non-
M
_tanto, ra _ sciuga il pianto che t'i - non _ dò, rasciuga il pianto che t'i - non-
pian - - to che t'i - - non - - dò, che t'i-nondò, che t'i - non-
pian - - to che t'i - - non - - dò, ra - sciu _ ga il pian -
pian - - to che t'i - - non - - dò, rasciuga il pianto che t'i - non-

V
-rò, ah!...................................t'ame-rò, io spenta ancor pur t'a-me-rò, pur t'ame-
F
-dò, ah!.......................................fa cor, qui soffre ognun, qui soffre ognun del tuo do-
A
n'ho! me sciagu - rato! ri-mor-so io n'ho, ri-mor-so n'ho, rimor-so n'ho, rimorso
Gt.
-dò, sì rasciuga il pianto che t'i-non-dò, qui soffre ognun, qui soffre ognun del tuo do-
Gt.
-vrò, so che l'ama, che l'ama, che gli è fe - del, che gli è fe-del, eppur cru-del tacer do-
B
-prò, e che tanto or-goglio fiaccar sa-prò, fiaccar sa-prò, fiaccar sa-prò, fiaccar sa-
D
-dò, sì rasciuga il pianto che t'i-non-dò, fa cor, fa cor, qui soffre ognun del tuo do-
M
-dò, sì rasciuga il pianto che t'i-non-dò, fa cor, fa cor, qui soffre ognun del tuo do-
-dò, ah!.......................................fa cor,
-to, sì rasciuga il pianto che t'i-non-dò,
-dò, sì rasciuga il pianto che t'i-non-dò,
ppp
pp

V
-rò, ah!..t'ame-rò, io spenta ancor pur t'a-me-rò, pur t'ame-
F
-lor, ah!..fa cor, qui soffre ognun, qui soffre ognun del tuo do-
A
n'ho, me sciagu - rato, ri-mor-so io n'ho, ri-morso n'ho, rimor-so n'ho, rimorso
G.e
-lor, sì rasciuga il pianto che t'i-non-dò, qui soffre ognun, qui soffre ognun del tuo do-
G.t
-vrò, so che l'ama, che l'ama, che gli è fe-del, che gli è fe-del, eppur cru-del ta-cer do-
B
-prò, e che tanto or-goglio fiaccar sa-prò, fiaccar sa-prò, fiaccar sa-prò, fiaccar sa-
D
-lor, sì rasciuga il pianto che t'i-non-dò, fa cor, fa cor, qui soffre ognun del tuo do-
M
-lor, sì rasciuga il pianto che t'i-non-dò, fa cor, fa cor, qui soffre ognun del tuo do-
ah!..fa cor,
sì rasciuga il pianto che t'i-non-dò,
sì rasciuga il pianto che t'i-non-dò,
35
ff
ppp
pp

V
-rò, pur t'a - - - me - - -
F
-lor, fa cor, fa
A
n'ho, ah sì, che fe-ci! ne sento orro-re, da lei per-do-no più non a-
Ge.
-lor, fa cor, fa
Gt.
-vrò, ta - - - cer do - - -
B
-prò, ... che tan - to or - go - glio fiac - car sa -
D
-lor, ... ra - sciu - ga il pian - to che t'i - - non -
M
-lor, ... ra - sciu - ga il pian - to che t'i - - non -
fa cor, fa
fa cor, fa
fa cor, fa

(Germont trae seco il figlio; il Barone lo segue. Violetta è condotta in altra stanza dal Dottore e da Flora: gli altri si disperdono)

Fine dell'Atto Secondo.

ATTO TERZO

CAMERA DA LETTO DI VIOLETTA

Nel fondo è un letto con cortine mezzo tirate; una finestra chiusa da imposte interne; presso il letto uno sgabello su cui una bottiglia d'acqua, una tazza di cristallo, diverse medicine. A metà della scena una *toilette*, vicino un canapè; più distante un altro mobile su cui arde un lume da notte; varie sedie ed altri mobili. La porta è a sinistra; di fronte v'è un caminetto con fuoco acceso.

SCENA ED ARIA

VIOLETTA

Violetta dorme sul letto; Annina, seduta presso il caminetto, è pure addormentata.

...a...poco...a...poco
p
dim.
pp
tr
pp
cres.
cres.
assai ff
dim. pp
f
pp morendo
f
allarg.
tr
dim.
ppp
morendo

VIOLETTA (svegliandosi)
Annina? Dormivi? pove_retta! Dammi d'acqua un
ANNINA
(destandosi confusa)
Coman_date?.. Sì, perdo_nate...
Recit.°
V
sorso. Os_serva... È pieno il giorno?
(Annina eseguisce)
A
Son set_
(pp)
V
Dà accesso a un po' di lu_ce.
A
_t'o_re.
(Annina apre le imposte e guarda nella via)
Il signor di Gren_
(fa per alzarsi, ma ricade; poi, sostenuta da Annina, va lenta verso il canapè. Il Dottore arriva in tempo per sostenerla)
VIO.
A
_vil... Oh il ve_ro a_mico!.. Alzar mi vo'...m'a_i_ta.
f
pp

V
Quanta bon_tà!.. pensaste a me per
rall.
f
V
tempo!..
Sof_fre il mio corpo, ma tranquil _ la ho
DOTTORE
(le tocca il polso)
Sì... Come vi sen_ti_te?
V
l'alma. Mi confortò jer se_ra un pio mi_nistro...ah! reli_gi_one è sollievo ai soffe_
tr
V
_renti.
Ebbi tranquillo il son_no.
DOT.
E questa notte?..
Coraggio adunque...

V
D
Oh! la bugia pie_to_sa ai me_di_ci è con_
la convalescenza non è lon_ta_na...
ANN. _cessa!..
Non mi scorda_te.
(presto e piano)
(le stringe la mano)
(il Dottore parte; Annina lo accompagna)
Come va, si_
Ad_di_o... a più tar_di!
DOT.
(esce)
A
_gnore? La ti_si non le accorda che po_che o _ re.
m.s.
VIO.
Giorno di festa è questo?
ANN.
Or fa_te cor...
Tutta Parigi im_pazza... è carnevale.

VIO.
Ah nel comun tripudio, sallo Id-di-o quanti in-fe-li-ci soffron!.. Quale
(indicandolo)
somma v'ha in quello stipo?
ANN.
(apre e conta)
Venti lu-i-gi.
Die-ci ne re-ca a' po-veri tu
stessa.
con dolore
Oh mi saran bastanti!.. Cerca poscia mie lettere. Null'occor-
A
Poco rimanvi allo-ra...
Ma voi?..
-rà... solle-cita, se puo-i.
(Annina esce)
(Vio. trae dal seno una lettera e legge)
ANDANTINO
(con voce bassa senza suono ma a tempo)
„Teneste la pro-
-messa... La disfida ebbe luogo... Il barone fu ferito, però migliora... Alfredo è in stranio
(pp)
(pp)

suolo. Il vostro sagrifizio io stesso gli ho svelato. Egli a voi tornerà pel suo perdono...io pur ver-
con voce sepolcrale
-rò... Curatevi... mertate un avvenir migliore... Giorgio Germont...„ È
(si alza)
(si guarda nello specchio)
tardi!.. Atten-do, at_tendo, nè a me giungon mai!.. Oh come son mu-
f
ppp
-ta_ta!.. Ma il Dottore a sperar pure m'esorta!.. Ah con tal morbo ogni speranza è
Adagio
mor - ta!
♩.= 50
ANDANTE MOSSO
dolente e pp
legato e dolce
Ad_di_o........ del pas_
ANDANTE MOSSO ♩.= 50
(p)
pp
pp

V
-sato........bei..... sogni........ ri - den - ti, le rose........del volto........già......
con espress.
sono........ pal - len - ti; l'a-mo - re d'Al-fre - do per-fi - no mi
pp dolciss.
man - ca, con-for - to, so-ste - gno dell' a - ni-ma stanca........
pp
con - forto, so - ste-gno, ah!

con forza
V
della........ tra - viata........ sor - ri_di........... al de - si - o, a
2
pp legg.
f
pp
le - - i deh per - do - na, tu ac - co - - gli_la, o Di_o!
pp
allarg. e
Ah!....... tut_to,........tut_to...... fi - nì, or........tut -
pp
colla parte
morendo
un fil di voce
dolente e pp
- - to, tut - to fi - nì............
Le
p
pp

legato e dolce
V
gioje,....... i do_lori........ tra...... poco........ a_vran fi - ne:la tomba...... ai mor_
_tali........ di........ tutto.......... è con_fi - ne! Non la_gri_ma o fio - re a_
con espress.
pp dolciss.
vrà la mia fos - sa! non cro - ċe col no - me che co - pra que
_st'ossa!.......
non croce...
non
pp

fior........ah! della..........tra - viata........ sor - ri_di........... al de -
pp legg.
con forza
pp
- si - o, a le - i deh per - do - na, tu ac - co - glila, o
f
pp
Di_o! Ah!.......tut_to........ tut_to........fi -
allarg. e morendo
un fil di voce
(siede)
- nì, or....... tut - to, tut - to fi - nì...............
colla parte
pp

BACCANALE

ALL.º VIVACISSIMO
Sop.
ff
Largo al qua_dru_pe_de sir della fe_sta, di fiori e pampi_ni
CORO
interno
Ten.
ff
Largo al qua_dru_pe_de sir della fe_sta, di fiori e pampi_ni
Bassi
ff
Largo al qua_dru_pe_de sir della fe_sta, di fiori e pampi_ni
3
ALLEGRO
VIVACISSIMO
ff
cin_ta la te_sta... largo al più do_ci_le d'o_gni cor_nu_to, di corni e
cin_ta la te_sta... largo al più do_ci_le d'o_gni cor_nu_to, di corni e
cin_ta la te_sta... largo al più do_ci_le d'o_gni cor_nu_to, di corni e

pifferi abbia il sa_lu - to. Pari - gi_ni, da_te passo al tri - on_fo del Bue
pifferi abbia il sa_lu - to. Pari - gi_ni, da_te passo al tri - on_fo del Bue
pifferi abbia il sa_lu - to. Pari - gi_ni, da_te passo al tri - on_fo del Bue
gras - so, al tri - on_fo del Bue grasso, al tri - on_fo del Bue grasso.
gras - so, al tri - on_fo del Bue grasso, al tri - on_fo del Bue grasso.
gras - so, al tri - on_fo del Bue grasso, al tri - on_fo del Bue grasso.
velociss.
scivolato
L'Asia, nè l'Afri_ca vi_de il più bel_lo, vanto ed or_go_glio d'ogni ma_cel_lo...
L'Asia, nè l'Afri_ca vi_de il più bel_lo, vanto ed or_go_glio d'ogni ma_cel_lo...
L'Asia, nè l'Afri_ca vi_de il più bel_lo, vanto ed or_go_gli_o d'ogni ma_cel_lo...
f

Al_le_gre maschere, paz_zi gar - zo - ni, tut_ti plau_di_te_lo con canti e
Al_le_gre maschere, paz_zi gar - zo - ni, tut_ti plau_di_te_lo con canti e
Al_le_gre maschere, paz_zi gar - zo - ni, tut_ti plau_di_te_lo con canti e
suo - ni. Pa_ri - gi_ni, da_te pas_so al tri - on_fo del Bue
suo - ni. Pa_ri - gi_ni, da_te pas_so al tri - on_fo del Bue
suo - ni. Pa_ri - gi_ni, da_te pas_so al tri - on_fo del Bue
gras - so, al tri - on_fo del Bue grasso, al tri - on_fo del Bue grasso.
gras - so, al tri - on_fo del Bue grasso, al tri - on_fo del Bue grasso.
gras - so, al tri - on_fo del Bue grasso, al tri - on_fo del Bue grasso.
velociss.
scivolando

Largo al qua-dru-pe-de sir del-la fe-sta, di fiori e pam-pi-ni
Largo al qua-dru-pe-de sir del-la fe-sta, di fiori e pam-pi-ni
Largo al qua-dru-pe-de sir del-la fe-sta, di fiori e pam-pi-ni
ff
cin-ta la te-sta... largo al qua-drupe-de sir del-la fe-sta, lar-go,
ff
cin-ta la te-sta... largo al qua-drupe-de sir del-la fe-sta, lar-go,
ff
cin-ta la te-sta... largo al qua-drupe-de sir del-la fe-sta, lar-go,
ff
lar-go lar - go
lar-go, lar - go
lar-go, lar - go
8

SCENA E DUETTO

VIOLETTA ED ALFREDO

V
dir_mi?..
U_na
A
Pre _ venir vi volli... una gio _ ja im _ prov _ vi _ sa...
V
gio _ ja!.. di _ ce _ sti?..
Al _ fre _ do!.. Ah tu il ve_
(afferma col capo)
A
Sì, o si_gno _ ra...
pp
V
(comparisce Alfredo)
_de _ sti!.. ei vien, ei vien!.. t'af_fret _ ta... Al _ fre _ do?..
un poco cres.
(si gettano le braccia al collo)
V
A _ mato Al _ fre _ _ _ _ _ _ _ do, a_mato Al_fredo, a_mato Al_
ALFREDO
Oh mia Vio _ let _ _ _ _ _ _ _ ta, oh mia Vio_letta, oh mia Vio_
4
ff

V
A
-fredo, oh gio - ja!
Io so che al-
-letta, oh gio - ja!
Colpevol so - no... so tutto, o ca - ra...
pp
-fi - ne resomi se - i!
Da questo palpito s'io t'ami impa - ra, senza te e-
Ah s'anco in vi - ta m'hai ri-tro-
-si - stere più non po - tre - i.
-va - ta, credi che uc-ci-de-re non può il do - lor.
Scorda l'af-

V
Chi o ti per_
A
_fan _ no donna ado_ra _ _ ta, a me per_do_na e al ge _ ni_tor.
V
_do _ ni?. la rea son i _ o: ma solo amor tal mi ren_dè.
A
Null'uo _ mo o
V
Null'uo _ mo o
A
de _ mon an _ giol mio, mai più di_vidermi potrà da te.
V
de _ mon, an _ giol mio, mai più di_vidermi, mai più, no, no,
A
Mai più, no, mai più, no,

V
no, no, no,no, no,mai più da te.
A
no, no, no,no, no,mai più da te.
5
ff
ALF.
AND.te MOSSO ♩= 112
♪= 112
AND.te MOSSO
6
p
dolciss. a mezza voce
Pa_rigi,o ca _ ra, noi la_sce_
A
_re _ mo, la vita u_ni _ ti tra_scorre _ re _ mo... de' corsi af_fan _ ni
stacc.
A
compenso a_vra _ i, la tua sa_lu _ te ri_fio_ri_rà............ So_spiro e
f
A
lu _ ce tu mi sa_ra _ i, tutto il fu_tu_ro ne arri_de_rà.
f
pp

VIO.
dolce a mezza voce
Pa_rigi,o ca _ ro, noi lasce_re _ mo, la vita u_ni _ ti trascor_re_
ALF.
_re _ mo... de' corsi af_fan _ ni compenso a_vra _ i, la mia sa_lu _ te
Si.
ri_fio_ri_rà. So_spiro e lu _ ce tu mi sa_ra _ i, tutto il fu_turo
So - spir, lu - ce sa - rai.
pp
ne ar_ri_de_rà.
leggero e stent.
De' corsi af_
Pa_ri_gi,o ca - ra, noi la_sce - re - mo...
con anima
pp

V
-fan - ni compenso a-vra - i, tutto il cre - a - to ne arri - de - rà.
A
sì, noi la - sce - re - mo, la vi - ta u -
V
De' corsi af - fan - ni compenso a -
A
- ni - ti tra - scor - re - re - mo... noi tra -
pp
V
-vra - i, tutto il fu - tu - ro ne arri - de - rà... de' cor - si af -
A
- scor - re - re - mo... de' cor - si af - fan - ni

V
A
_fan _ ni compen _ so a _ vra _ i, la mia sa _ lu _ te, la mia sa _
com _ pen_so a _ vrai, ah sì. la tua sa _ lu _ te, la tua sa _
_lu _ te ri_fio_ri _ rà, ri_fio _ ri _ rà:
pp
_lu _ te ri_fio_ri _ rà. Pa _ ri _ gi, o ca _ ra, noi la_sce _
con anima
pp
leggero e stent.
de'corsi af_fan _ ni compenso a_vra _ i, tutto il cre _ a _ to ne arri_de_
_re _ mo... sì. noi la _ _ sce re _ _ mo,

V
-rà;
de' corsi af-
A
la vi-ta u-ni- -ti tra-scor-re- -re- -mo,
pp
V
-fan-ni compenso a-vra-i, tutto il fu-tu-ro ne arri-de-rà...
A
noi tra-scor- -re- -re- -mo... de' cor-si af-
V
de' cor-si af-fan-ni compen-so a-vra-i, la mia sa-
A
-fan-ni com-pen-so a-vrai, ah sì, la tua sa-

V
_lu _ te, la mia sa _ lu _ te rifio_ri _ rà, rifio _ ri _ rà, ri_fio_ri_
A
_lu _ te, la tua sa _ lu _ te rifio_ri _ rà, rifio _ ri _ rà, ri_fio_ri_
pp
_rà. De'........... corsi affanni, de' corsi affan _ ni compenso avra _ i,
_rà. De'........... corsi affanni, de' corsi affan _ ni compenso avra _ i,
ppp
col canto
de' corsi affan _ ni compenso avra _ i, la mia salu _ te ah sì ri_fio_ri_
de' corsi affan _ ni compenso avra _ i, la tua salu _ te ah sì ri_fio_ri_

ALL° ♩=120
V
-rà ....
Ah non più... a un tem - pio... Alfredo, an-
A
-rà ....
7
allarg.
ALL° ♩=120
(p)
(vacilla)
-dia - mo, del tuo ri - tor - no grazie ren - diamo...
E nulla
Tu impalli - disci!..
ff
sa - i? Gioja improvvi - sa non entra ma - i, senza tur - bar - lo, in mesto
(Violetta si abbandona sfinita sopra una sedia)
co - re...
È il mio ma - lo - re!.. fu debo - lez - za...
ALF.
(spaventato sorreggendola)
Gran Dio!.. Vio - letta!..
ff

o - - ra son for - - te... ve - -
(sforzandosi)
PIÙ MOSSO
V
ALF. -di?.. sor-ri-do... Fu nulla!.. An-
(desolato)
(Ahi cruda sor-te!)
p
PIÙ MOSSO
V
-ni-na, dammi a ve-sti-re.
A
A-desso?.. at-ten-di...
VIO.
(alzandosi)
No!.. vo - - glio u-sci-re.
pp

(Annina presenta a Violetta una veste ch'ella fa per indossare, ed impeditane dalla debolezza la getta a terra ed esclama:)
(con disperazione)
V
Gran
Di - - o!..non pos - so!
(ricade sulla sedia)
(ad Annina)
Ah!
ALF.
(ad Annina)
(Cielo! che ve - do!) Va pel dot - tore...
8
ff
(p)
digli... digli che Alfredo è ritor - na - to,è ritor - nato all'amor
mi - o...digli che vi - vere an - cor,che vi - ve - re an - cor vo - gl'i - o...
(Annina parte)
ff tutta forza

(ad Alfredo)
Ma se tor_nan_do non m'hai sal_va_to, a niuno in ter_ra sal_var_mi è
dato.
(sorgendo impetuosa)
Ah! gran
9
Legate con espress.
Dio!..morir sì giovi_ne, io che pe_nato ho tan_to!.. mo_rir sì presso a terge_re il
ALLEGRO
mio sì lungo pian_to!..Ah! dunque fu de_li_rio la credu_la spe_ranza!.. in_
_va_no di co_stanza arma_to a_vrò, avrò il mio cor!..
ALF.
legato espressivo
Oh mio sospiro e pal_pi_to, di_

A
f
dim.
f
-letto del cor mi - o!.. le mie colle tue lagri-me con-fondere degg' i - o!..ma
pp
f
pp
f
pp
ff
più che mai, deh! cre-dilo, m'è d'uopo di co-stanza... ah tutto alla spe-ran-za non
VIO.
Oh Al-fredo, il cru-do ter-mine...
chiudere il tuo cor!
Ah! Vio-let-ta mia, deh!
V
cres.
Alfredo, il crudo ter-mine...
serbato al nostro a-
cal-mati.
Violetta mia, deh! cal-mati,
cres.

allarg.
V
-mor! Oh! Al-fredo, il crudo termi-ne ser-bato al nostro amor!
A
m'uccide il tuo dolor. Ah! Vio-let-ta mia, deh calmati, m'uc-cide il tuo do-lor, m'uc-
allarg.
f
10
pp
dim.
Ah! gran Dio! morir sì giovi-ne, io che penato ho tan-to!.. mo-
a tempo
ppp
dolciss.
-cide il tuo do-lor, deh! calma-ti, cal-ma-ti.
a tempo
f
pp
f
pp
dim.
f
pp
-rir sì presso a tergere il mio sì lungo pian-to! Ah dun-que fu de-li-ri-o la
dolciss.
Cal-ma-ti, Violetta mi-a! Violetta mi-a!
f
pp
f
pp

V
A
cre_du_la spe - ran - za! in - va_no di co_stanza arma - to a_vrò, a_vrò il mio
deh calmati! m'uc_ci - de il tuo do_lor, il tuo do-
PIÙ MOSSO
cor! Al - fre_do mi - o! oh il cru_do
-lor! Violetta mia, deh cal_mati! m'uccide il tuo do_lor!
PIÙ MOSSO
ter - mine ser_ba - to al no_stro amor!..................ser_ba_to al nostro a-
ah m'uccide, m'uc_ci_de il tuo do_lor! m'uc - ci_de il tuo do-

V
-mor! oh mio Al - fre - do, il cru - do, il cru - do
A
-lor! oh mia Vio - let - ta, m'uc - ci - de il tuo do -
11
ff
V
ter - mine ser - ba - to al no - stro amor! ser-
A
-lor, ah sì m'uc - ci - de il tuo do - lor! Vio-
ff
V
-ba - - - - to al nostro amor!
(Violetta si abbandona sul canapè)
A
-let - - - ta, deh! cal - ma - ti!

FINALE ULTIMO

(abbracciandolo)
V
tar - di giun-ge - ste!..
pure,gra-ta ven so - no...
Grenvil, ve-
-de - te?..
fra le brac-cia io spi - ro
di quan - ti ca - ri ho al
mon - do...
GER.
(osservando Violetta)
Che mai di - te!
(Oh cielo!.. è ver!)
ff
p
ALF.
La ve-di, pa-dre mi - o?..
G
Di più.........non lace-rar - mi, troppo ri-

G
-mor - so l'alma mi di - vo - ra... qua-si ful - min m'atter - ra
(Violetta apre un ripostiglio e ne toglie un medaglione)
p
o - - gni suo detto... Ah mal cau-to vegliardo!.. il mal ch'io
p
pp
dim.
VIO.
Più a me t'appressa... a-scolta, amato Al-
fe-ci o-ra sol ve-do!..
p
colla parte
V
AND.te SOST.to ♩=56
(cupo)
-fre-do. Prendi... quest'è l'imma-gi-ne de'
12
ppp
pppp

V
miei passa_ti gior - ni, a ram - mentar ti tor - ni co_
V
_lei che sì t'a_mò.
ALF.
No,non morrai, non dir_me_lo...dêi viver,a - mor
GER.
Cara,su - bli - me, sublime
A
mi - o... a strazio sì ter - ri - bil qui non mi tras - se Id
G
vit - ti - ma d'un disperato a - mo - re, per - donamilo

A
-di - o, qui non mi tras - se Id - di - o.
G
stra - zio re - cato al tuo bel cor.
pp
dim.
morendo
Poco più animato ♩=76
VIO.
Se u - na pu - di - ca ver - gi - ne, degli anni suoi sul
Poco più animato ♩=76.
13
ppp
ppp
V
fio - - re, a te do - nas - se il co - re... sposa ti
V
si - a, sposa ti si - a... Io vo'... Le porgi quest' ef -

cres. accentato con passione
14
V
-fi-gie; dil-le che dono ell'è .... di chi nel ciel fra gli angeli
V
prega per lei, per te.
ANNINA
Finchè a-vrà
ALF.
Sì pre-sto, ah no, ah
GER.
Finchè avrà il ciglio lagrime io piange-rò,........ io piange-
DOTTORE
Finchè a-vrà
AN
il ciglio la-grime io pian - - - ge-
AL
no, ah no, di-vi-derti mor - te non può, no,
G
-rò......... per te, per te; vo-la a be-a-ti spi-ri-ti, Iddio ti chia-ma, Id-dio ti
D
il ciglio la-grime io pian - - - ge-

VIO.
Le porgi quest'ef - fi - gie;
-rò per te. Vola a'be - a - ti
no, non può da me. Ah vivi, o solo un
chia-ma, ti chiama a sè. Vola a'be - a - ti
-rò per te. Vola a'be - a - ti
dil - le che dono ell'è .... di chi .... fra gli an - - geli
spir - ti, Iddio ti chiama a sè, Id - dio ti
feretro m'accoglierà con te, con te, m'ac - coglie-
spir - ti, Iddio ti chiama a sè, Id - dio ti
spir - ti, Iddio ti chiama a sè, Id - dio ti
15

ANDANTINO
(rianimata)
V
pre _ ga per lei, per te.
È strano!
AN
chia _ ma a sè.
AL
rà, m'acco_glie_rà con te.
G
chia _ ma, ti chiama a sè.
D
chia _ ma a sè.
ANDANTINO
pppp
pppp
24
(parlando)
V
Ces_saro_no gli spasimi del do_lo_re... in me... ri_nasce, ri_
AN
Che!
AL
Che!
G
Che!
D
Che!

V
cresc.
-nasce... m'agita in - so-li-to vi-gor!.. Ah!.. ma
p cresc. poco a poco
agitatissimo
i-o... ah! ma io ri - tor - no a vi - ver!!. oh
cresc. sempre e rinf.
ALLEGRO
(ricade sul canape)
gio - - ja!..
ANN.
Oh cie - lo!..
GER.
Oh cie - lo!..
DOT.
Oh cie - lo!..
ALLEGRO
16
ff

Fine dell' Opera.

RICORDI VOCAL SCORES

(OPERE, ORATORI, MUSICA SACRA)

BELLINI

I Capuleti e i Montecchi (42043/05; 138472, ed. critica)
Norma (41684/05; 41684/04 ril. in tela e oro)
Il pirata (108189/05)
I Puritani (41685/05; 41685/04 ril. in tela e oro)
La sonnambula (41686/05; 41686/04 ril. in tela e oro)
La straniera (108100/05)

BETTINELLI

Il pozzo e il pendolo (131249/05)

BIZET

Carmen (139479)

BOITO

Mefistofele (44720/05; 46855/05 testo in ing., it.)
Nerone (119599/05)

CATALANI

Loreley (54916/05)
La Wally (95257/05)

CHAILLY

Una domanda di matrimonio (131941/05)
Era proibito (130348/05)
L'idiota (131275/03)
Il mantello (130111/05)
Procedura penale (129992/05)
Sogno (ma forse no) (131997)

CIMAROSA

Le astuzie femminili (124388/05)
L'Italiana in Londra (132596/05)
Il marito disperato (132327/05)
Il matrimonio segreto (131862/05, it., ted.)

DONIZETTI

Anna Bolena (45415/05; 45415/04, ril. in tela e oro)
Il campanello (136119, ed. critica)
Le convenienze ed inconvenienze teatrali (136795,)ed. critica
Dom Sébastien (136546, ed. critica)
Don Pasquale (42051/05; 42051/04, ril. in tela e oro; 131527/03, it., ted.; 132875/05 ing., it.)
L'elisir d'amore (41688/05; 41688/04, ril. in tela e oro)
La favorite (135547, ed. critica, fr., it.)
La figlia del reggimento (46263/05)
Linda di Chamounix (42056/05; 139213, ediz. critica)
Lucia di Lammermoor (41689/05; 41689/04, ril. in tela e oro; 130646/03, ted.)
Lucrezia Borgia (41690/05)
Maria Stuarda (134916, ed. critica)
Poliuto (135661, ed. critica)
Rita (129213/05, it., ted.; 129213/04, ril. in tela e oro)
Roberto Devereux (42047/05)

FALLA

Atlàntida (132481/05; 132481/04, ril. in tela e oro)

FERRERO

Charlotte Corday (134721, it., ted.)
La figlia del mago (137776, ing., it.)
Salvatore Giuliano (134873, it., ted.)

GALUPPI

Il filosofo di campagna (128632/05)

GHEDINI

Le baccanti (126812/05)
L'ipocrita felice (128554/05)
La pulce d'oro (124678/05)

GLUCK

Alceste (49139/05)
Orfeo ed Euridice (46289/05; 46289/04, ril. in tela e oro)

GOUNOD

Faust (53127/05; 53127/04, ril. in tela e oro)

HAENDEL

Il Messia (129624/05, ing., it.)

JOMMELLI

L'uccellatrice (128657/05)

MALIPIERO

L'allegra brigata (128042/05)
Il capitan Spavento (129731/05)
Don Giovanni (130725/05)
Don Tartufo Bacchettone (131076/03)
Donna Urraca (28948/03)
La favola del figlio cambiato (122944/05, it., ted.)
Il figliuol prodigo (128828/04, ril. in tela e oro)
L' Iscariota (131872/05)
Il marescalco (131736/05)
Le metamorfosi di Bonaventura (131735/05)
Mondi celesti e infernali (128096/05)
La passione. Oratorio (123521/03)
Torneo notturno (128172/05)
Uno dei dieci (131868/05)
Venere prigioniera (129737/03)

MASCAGNI

Iris (102181/05; 102181/04, ril. in tela e oro)

MENOTTI

Amelia al ballo (124179/05, ing. it.)

MILHAUD

La mère coupable (130868/05, fr.)

MORTARI

Il contratto (130703/05)
La figlia del diavolo (128647/05)

MOZART

Bastiano e Bastiana (128899/05, it., ted.)
Così fan tutte (130130/05)
Don Giovanni (129777/05; 129777/04 ril. in tela e oro)
La finta semplice (128929/05, it., ted.)
Il flauto magico (129606/05, it., ted.)
Idomeneo (139368)
Le nozze di Figaro (37804/05; 37804/04, ril. in tela e oro)
Requiem (139478)

PAISIELLO

Il barbiere di Siviglia (46102/05)
Nina o sia La pazza per amore (132843/05, ed. riv.)

PERGOLESI

La serva padrona (45390/05; 45390/04 ril. in tela e oro)
Stabat Mater (123718)

PIZZETTI

Assassinio nella cattedrale (129560/05)
Il calzare d'argento (130234/03)
Clitennestra (130754/05)
Dèbora e Jaéle (118751/05; 118751/06 in pelle)
Lo straniero (121457/05)

PONCHIELLI

La Gioconda (44864/05; 47470/05 ing., it.)

POULENC

Dialoghi delle carmelitane (137659, fr., ing.)

PUCCINI

La Bohème (99000/05; 99000/04, ril. in tela e oro; 115494/05 ing., it.; 139445/05, it.-giapponese)
Edgar (110490/05)
La fanciulla del West (113300/05; 113483/05 ing., it.)
Gianni Schicchi (132848/05; 132848/04 ril. in tela e oro)
Madama Butterfly (110000/05; 110000/04, ril. in tela e oro; 129166/05 ing., it.)
Manon Lescaut (97321/05, ing., it.; 97321/04 ril. in tela e oro)
Suor Angelica (121612/05; 121612/04 ril. in tela e oro)
Tosca (103050/05; 135431/05, ed. critica, ing., it.; 135431/04 ed. critica ril.)
Il tabarro (129782/05; 129782/04 ril. in tela e oro)
Il trittico (Gianni Schicchi, Suor Angelica, Il tabarro) (138884/05; 138884/04 ril. in tela e oro)
Turandot (121329/05, ing., it.; 126838/05, it., ted.; 126838/04 it., ted., ril. in tela e oro)
Le Villi (49457/05)

RESPIGHI

Belfagor (119039/05)
La fiamma (122746/05)
Lucrezia (123648/05)
Maria Egiziaca (122341/05)

ROCCA

In terra di leggenda (123182/05)
Monte Ivnòr (124544/05)
L'uragano (128339/03)

ROSSELLINI

L'annonce faite à Marie (131508/05, fr.)
L'avventuriero (131265/03)
Le campane (129935/05)
La guerra (129179/05)
La leggenda del ritorno (130881/05)
Il linguaggio dei fiori, ossia Donna Rosita nubile (130459/05, fr., it.)
La reine morte (132018/03, fr.)
Uno sguardo dal ponte (130229/03)
Il vortice (129551/05)

ROSSINI

Armida (138588, ed. critica)
L'assedio di Corinto (87408/05)
Il barbiere di Siviglia (131809, ing., it., ed. critica; 131809/01, ing., it., ed. critica, ril. in tela e oro; 131295/05, ed. critica, it., ted.)
Bianca e Falliero (134029, ed. critica)
La cambiale di matrimonio (113280/05)
La Cenerentola (45707/05; 45707/04, ril. in tela e oro; 131821, ed. critica)
Le comte Ory (42050/05; 132876/05, ing.)
La donna del lago (133191, ed. critica)
Ermione (134548, ed. critica)
La gazza ladra (132722, ing., it., ed. critica)
Guglielmo Tell (40041/05; 40041/04, ril. in tela e oro)
L'Italiana in Algeri (132118, ing., it., ed. critica; 135226/03, ed. critica, it., ted.)
L'occasione fa il ladro (134552, ing., it., ed. critica)
Otello ossia Il Moro di Venezia (134599, ed. critica)
La scala di seta (134555, ed. critica)
Il signor Bruschino (133893, ing., it., ed. critica)
Stabat Mater (49182)
Tancredi (132572, ed. critica)
Il Turco in Italia (132838, ing., it., ed. critica)
Il viaggio a Reims (CP 133821, ed. critica)

ROTA

Il cappello di paglia di Firenze (129054/05)
La notte di un nevrastenico (130119/05)

SPONTINI

La vestale (44686/05; 44686/04, ril. in tela e oro)

TESTI

L'albergo dei poveri (130922/03)
La Celestina (130318/05)
Il furore di Oreste (129365/05)

TOSATTI

Il giudizio universale (128868/05)
Partita a pugni (128694/03, ing., it.)
Il sistema della dolcezza (128689/05)

VERDI

Aida (42602/05; 42602/04 ril. in tela e oro; 44628/05 ing., it.; 129832/05 it., ted.)
Alzira (53706/05; 136944, ed. critica)
Aroldo (42306/05)
Attila (53700/05; 53700/04 ril. in tela e oro)
Un ballo in maschera (48180/05; 48180/04, ril. in tela e oro)
La battaglia di Legnano (53710/05)
Il corsaro (53714/05; 136997, ed. critica)
Don Carlo (48552/05, in 4 atti; 48552/04, in 4 atti, ril. in tela e oro; 51104/05, in 5 atti; 131240/05 ted., it.)
Don Carlos (132213/05 , ed. critica, ed. integrale 4 e 5 atti)
I due Foscari (42307/05)
Ernani (133716, ing., it., ed. critica)
Falstaff (96000/05; 96342/05, ing., it.; 96342/04 ril. in tela e oro)
La forza del destino (41381/05; 41381/04 ril. in tela e oro)
Un giorno di regno ossia Il finto Stanislao (53708/05)
Giovanna d'Arco (53712/05)
I Lombardi alla prima Crociata (42309/05)
Luisa Miller (42310/05; 42310/04, ril. in tela e oro; 134605, ed. critica)
Macbeth (42311/05; 42311/04, ril. in tela e oro; 120841/03, ted.; 136541/05, it.-ted; 138713, ed. critica.)
I masnadieri (53702/05; 138564, ed. critica)
Messa da requiem (134164, ed. critica)
Nabucodonosor (42312/05;134570, ing., it., ed. critica; 138771, ted., ed. critica)
Oberto conte di S.Bonifacio (137473/05)
Otello (52105/05, ing., it.; 52105/04 ril. in tela e oro)
Rigoletto (42313/05; 133539, ing., it., ed. critica; 135773, ted., ed. critica)
Simon Boccanegra (47372/05; 47372/04, ril in tela e oro)
Stiffelio (136093, ed. critica)
La traviata (42314/05; 42314/04, ril. in tela e oro; 133060/05 ing., it.; 137341, it., ing., ed. critica; 139332/05, it. giapponese)
Il trovatore (42315/05; 42315/04 ril. in tela e oro; 109460/05 ing., it.; 136183, it., ing., ed. critica)
I vespri siciliani (50278/05; 50278/04, ril. in tela e oro)

VERETTI

Burlesca (128904/03; 128904/04, ril.)
Una favola di Andersen (123212/03)
I sette peccati (129072/03)

VIOZZI

Allamistakeo (129361/05)
Un intervento notturno (129486/03)

VLAD

Il gabbiano (131484/03, ing., it., ted.)

WOLF-FERRARI

Il campiello (123300/05)

ZAFRED

Amleto (129693/05, it., ted.)
Wallenstein (130429/05)

ZANDONAI

I cavalieri di Ekebù (119775/05)
Conchita (113740/03)
Francesca da Rimini (115450/05)